KB126913

청년

青年

청년

森鷗外

모리 오가이 소설

전양주 옮김

미행

일러두기

· 이 책은 『青年』(東京: 新潮社, 1948)을 완역한 것이다.
· 한자, 일어를 제외한 영어, 프랑스어 등의 외국어 병기가 된 곳은 작가가 외국어로 서술하고 있는 대목이다.
· 주는 모두 옮긴이의 주이다.

차례

1

고이즈미 준이치는 시바히카게초의 숙소를 나와 도쿄 지도*를 한 손에 들고 사람들에게 일일이 물어가며 신바시 정거장에서 우에노행 전차를 탔다. 눈이 빙글빙글 돌아갈 만큼 복잡한 스다초에서도 무사히 전차를 갈아탔다. 그리고 혼고산초메에서 내려 오이와케 분기점에서 고등학교** 를 따라 걷다가 오른쪽으로 꺾어 네즈 신사 앞 비탈길 위에 있는 '소데우라관袖浦館'이라는 하숙집 앞에 도착했다. 10월 20 며칠쯤 오전 8시였다.

이곳은 길이 丁자 모양이다. 네즈 신사 앞에서 시작되는 오르막길이 그가 걸어온 길을 수직으로 가르는 위치에 '소

* 모리 오가이가 기획한 책자형 지도로, 1909년에 실제로 출판되었다. 그가 독일 유학 중에 접한 여행 가이드북을 보고 착안했다고 한다.

** 당시 제1고등학교로 현재 도쿄대학의 전신인 도쿄제국대학 예과에 해당한다.

데우라관'이 있었다. 성냥갑처럼 생긴 페인트칠한 목조 양옥집이었다. 입구 위 가로로 얹은 나무에 하숙생들의 이름이 적힌 나무패들이 줄줄이 꽂혀 있었다.

준이치는 가만히 서서 이름을 훑어보았다. 자기가 찾고 있는 오이시 겐타로라는 이름은 위에서 두세 번째에 있어서 금방 찾을 수 있었다. 붉은 어깨띠를 십자 모양으로 동여매고서 문간 앞마루를 걸레로 닦고 있던 열대여섯쯤 되어 보이는 여종업원이 걸레질을 멈추고 물었다. "어느 분을 찾아오셨어요?"

"오이시 선생님을 뵈러 왔는데요."

시골에서 올라온 준이치는 소설에서 보고 익힌 도쿄 말씨를 썼다. 흡사 익숙지 않은 외국어를 말할 때처럼 한 자, 한 자 신중히 잘 생각한 다음 말을 뱉어냈다. 그러고는 무난히 잘 대답한 것 같아 내심 뿌듯했다.

걸레를 들고 우뚝 선, 조숙하고 맹랑한 소녀의 눈에 비친 그는 알에서 갓 부화한 햇병아리 같은 눈을 한 허여멀쑥한 청년이다. 감색 바탕에 하얀 잔무늬가 들어간 무명 겹옷에 안감을 댄, 같은 무늬의 하오리*를 걸치고 수수한 무명 하카마**를 입고 있다. 머리에는 연한 다갈색 모자를 쓰고 발에는 감색 버선에 하얀 끈이 달린 바닥이 넓은 나막신을 신

* 기모노 위에 걸치는 겉옷.

** 기모노 위에 덧입는 통이 넓은 주름 바지.

었다. 예사로운 학생 행색이긴 했지만 하나부터 열까지 세련됐다. 그래서 어제저녁 처음 신바시에 도착한 촌놈으로는 보이지 않았다. 소녀는 친근한 눈빛으로 준이치를 보더니 이렇게 말했다.

"오이시 선생님 댁에 오셨군요. 지금 가 봤자 소용없을 거예요. 그분은 10시 전에는 안 일어나시거든요. 그래서 항상 아침하고 점심을 같이 드세요. 새벽 2, 3시가 되어서야 귀가하실 때도 있고 그러면 하루 종일 주무세요."

"그럼, 산책 좀 하다가 다시 올게요."

"네, 그러시는 게 좋을 거예요."

준이치는 네즈 신사 앞 비탈길 쪽으로 발걸음을 옮겼다. 두세 걸음 걷다가 소맷자락에서 작게 접은 지도를 꺼내 보며 걸었다. 자신이 왔던 길에서는 관리처럼 보이는 양복 차림의 남자나 사각모를 쓴 학생, 흰 줄이 두 개 들어간 학생모를 쓴 고등학생들, 학교 가는 아이들과 여학생들이 혼고 거리 쪽으로 줄지어 걸어가는 모습이 보였지만 비탈길 쪽에는 오가는 사람이 하나도 없었다. 오른쪽에는 고등학교 외벽이, 왼쪽에는 생긴 지 얼마 안 된 교회당이 있고 그 옆 오두막 같은 집에서 인력거꾼들이 인력거를 타라고 말을 거는 곳을 지나니 맨 흙담과 산울타리를 두른 저택들뿐이고 그 사이로 깨끗한 길이 널찍하게 뻗어 있다.

넓은 길을 홀로 걷고 있자니 요사이 아침 공기가 온몸의 털을 쭈뼛 서게 하듯 떨떠름한 기분이 들었다. 그리고 방금 소녀에게 들은 오이시의 일상을 생각해보았다. 준이치는 고향에서 일부러 만나러 온 오이시라는 남자에 대해 머릿속으로 상상했던 확실한 그림이 있었다. 그런데 방금 들은 이야기는 그 그림의 윤곽을 조금도 해치지 않았다. 해치지 않은 정도가 아니라 오히려 더 선명해진 것 같다. 준이치가 품고 있던 오이시라는 인물에 대한 흠모와 두려움이 뒤섞인 느낌이 또렷해진 것이다.

언덕바지에 다다랐다. 지도로는 알 수 없지만 제법 넓은 이 비탈길은 S자를 대충 휘갈겨 쓴 것처럼 굽이져 있다. 준이치는 비탈길 위에 멈추어 서서 건너편을 바라보았다.

잿빛 구름이 드넓게 펼쳐진 하늘 아래로 같은 잿빛에 맑고 투명한 공기에 잠긴 저 너머 우에노 산과 자기가 서 있는 무코가오카 사이로 옹기종기 인가가 보인다. 언뜻 눈에 들어오는 인가만 해도 고향 마을 정도 크기는 될 것 같다. 준이치는 그 광경을 한동안 가만히 바라보다가 크게 심호흡했다.

비탈길을 내려와 왼쪽에 있는 신사 입구에 세워진 기둥문으로 들어섰다. 화성암이 깔린 길을 따라 네즈 신사 쪽으로 걸었다. 딸깍딸깍 경을 울리는 듯한 나막신 소리가 기분 좋았다. 칠이 벗겨진 목상이 버티고 앉은 수신문*을 지나자, 안은 고풍스러운 울타리가 에워싸고 있다. 고향집

* 신사에서 신을 수호하는 하위 신이 좌우 양쪽에 모셔진 문.

할머니 방에 니시키에錦繪[*] 병풍이 있었다. 어느 신사인지는 몰라도 그 그림 속에도 이런 울타리가 있었던 것 같다. 사당 툇마루에는 아기를 포대기에 업고 수건으로 머리를 두른 여자아이가 추운지 몸을 잔뜩 움츠린 채 걸터앉아 있었다. 준이치는 딱히 참배할 마음이 없어 작은 문을 나와 왼쪽으로 가니 도랑 같은 연못이 있고 그 건너 조금 언덕진 곳에 상록수와 그 사이사이로 잎이 노랗게 물든 나무가 뒤섞인 작은 숲이 있다. 탁하고 더러운 연못 곳곳에 거품이 둥둥 떠 있는 모습을 보고 기겁을 하며 얼른 뒷문으로 나왔다.

야부시타의 좁은 길로 들어섰다. 대부분 격자문이 달린 작은 집들이 일렬로 쭉 늘어서 있고 그 앞에 물건을 파는 수레가 세워져 있어 몸을 비틀며 지나갔다. 오른쪽에는 다쓰러져 더는 살 수 없게 된 낡은 나가야長屋[**]의 문이 굳게 닫혀 있다. 게딱지만 한 집이 이걸 두고 하는 말이겠거니 하며 지나친다. 그 옆에 가부키문[***]을 보니 이로카와코쿠시별저色川國士別邸라고 적힌 볼품없는 나무 팻말을 못으로 박아 놓았다. 특이한 이름이라 신문을 볼 때 기억해 둔 의원의 집이구나 하며 지나간다. 그 앞으로는 별로 깨끗하지 않은

* 일본 고유의 다색 목판화.

** 한 지붕 아래 여러 가구가 벽을 공유하며 살 수 있도록 길게 지어진 단층 목조주택.

*** 좌우 문기둥 위에 지붕 없이 가로로 나무를 얹은 문.

별장과 화원인 듯한 집들이 쭉 이어져 있다. 왼쪽의 구릉 같은 곳에는 제법 큰 나무들이 있는데 너무 아무렇게나 다듬어져 있다. 큰 저택인데 뒤쪽은 관리가 영 엉망이구나 하면서 지나간다.

살짝 언덕진 길이 평평해질 때까지 올라가니 오른쪽은 다시 가파른 비탈이고 우에노 산 사이로 인가의 지붕이 보인다. 무심코 왼쪽에 대나무로 엮은 담을 두른 집을 보니 모리毛利 아무개*라는 나무 팻말이 눈에 들어왔다. 준이치는 어, 여기가 오손의 집이구나 하고 잠시 서서 나지막한 목책 안을 기웃거렸다.

늙어빠진 주제에 파릇파릇한 청년들 틈에 끼어 얼쩡거리는 노인네, 게다가 온갖 불평과 비아냥을 늘어놓는 사람, 막대와 줄자를 들고 측량사가 땅을 재듯 소설과 각본을 쓰는 사람이니 지금쯤 벌레 씹은 얼굴로 일어나 부엌에서 땔감을 두고 잔소리를 퍼붓고 있겠지. 준이치는 몸서리치며 자리를 떴다.

사거리 오른쪽 언덕으로 내려가니 길 양쪽에 국화 인형을 내놓은 작은 가게들이 늘어서 있었다. 고향의 극장 문지기처럼 높은 단 위에 책상다리를 하고 앉은 인신매매꾼이나 소매치기처럼 생긴 사내들이 가게마다 앞에 나와 손

* 작중에 등장하는 작가 모리 오손(毛利鷗村)을 지칭한다. 모리 오가이 자신을 빗댄 인물로 추정된다.

에 전단지 같은 것을 들고 오가는 사람들에게 억지로 들이밀며 구경하고 가라고 떠들어댄다. 아직 이른 아침이라 사람들의 발걸음이 뜸하던 차에 마침 준이치가 지나가니 길 양쪽에서 준이치 하나만 노리고 달라붙었다. 밖에서도 보이게끔 진열해 놓은 인형들을 구경하다 가고 싶었지만 도무지 그럴 수가 없다. 어느새 종종걸음으로 빠져나와 오른쪽 너른 길로 방향을 틀었다.

시계를 꺼내 보니 아직 8시 30분밖에 되지 않았다. 오이시가 일어나려면 아직 한참 남았기 때문에 적당히 아무 골목길로 들어가 우에노 산 쪽으로 걸음을 옮겼다. 좁은 골목길 양쪽에는 지저분한 나가야가 늘어서 있고 전병을 굽는 가게와 조그만 잡화점이 있다. 창고로 쓰는 오두막의 여닫이문이 반쯤 열려 있어 몸을 옆으로 비틀며 지나야 하는 곳도 있다. 경사가 없는 도랑에 오물이 떨어져 탁한 물이 가득 고여 있다. 파리한 낯빛에 비쩍 마른 아이가 어슬렁대는 모습을 보니 장난칠 힘도 없는 것 같다. 준이치는 고향에는 이런 처량한 곳은 없다고 생각했다.

이리저리 구불구불 걷다 보니 어느새 실개천의 널다리를 건너 논 절반쯤이 마을이 되어 가고 일회용 나무 도시락같이 생긴 새집들이 드문드문 서 있는 곳으로 나왔다. 어떤 집 옆면에 페인트로 큼지막하게 '악기 제조소'라고 쓰여 있다. 과연, 이런 데가 있는 것도 고향과 다르구나 하고 놀라며 지나간다.

별안간 야나카 쪽에서 내려오는 시골길 같은 묘지 옆 비탈길 아래로 나왔다. 잿빛 구름이 있는 데서 없는 데로 해가 옮겨가자 노랗고 쓸쓸한 햇살이 따사로이 내리비쳤다. 비탈길을 올라가 우에노를 잠깐 둘러볼까 하다가 그러면 너무 늦을 것 같아 고민하며 우두커니 서 있었다.

아까부터 준이치의 시야에 언덕을 내려오는 모습이 언뜻언뜻 비치던 학생인 듯한 남자가 바로 지척에까지 다가오는 바람에 얼떨결에 얼굴을 마주하게 되었다.

"고이즈미 아니야?"

저쪽에서 말을 걸어왔다.

"세토? 이런 데서 만나다니 깜짝 놀랐네."

"너보다 내가 더 놀랐어. 언제 온 거야?"

"어제저녁에. 넌 미술학교*에 다니지?"

"어, 지금 학교에서 오는 길이야. 모델이 아프다고 안 와서 고마고메에 사는 친구 집에나 가볼까 하던 참이야."

"그렇게 마음대로 해도 돼?"

"중학교** 때랑은 다르지."

준이치는 괜히 머쓱해졌다. 세토 하야토는 Y시 중학교 때 같은 반이었다.

"어디가 어딘지 잘 모르니 어쩔 수 없지 뭐."

* 도쿄미술학교. 도쿄예술대학 미술학부의 전신이다.

** 5년제로 운영된 옛 중학교.

준이치는 순순히 굽히고 나왔다. 실은 세토도 담당 교수가 전람회 사무소에 가서 마침 없는 틈을 타 배가 아프네 어쩌네 핑계를 대고 학교를 나온 터라 오히려 제 쪽이 겸연쩍어졌다. 그리고 이상주의의 표본과도 같은 준이치의 맑고 까만 눈동자가 제 얼굴을 말끄러미 쳐다보는 게 너무도 불편했다.

그때 편안한 옷차림에 쇼핑이라도 가는지 챙 머리에 조금 상냥해 뵈는 열일고여덟쯤 된 소녀가 소매가 닿을 듯 말 듯 두 사람 곁을 지나간다. 소녀는 호감을 숨김없이 드러내며 준이치의 얼굴을 빤히 쳐다보았다. 세토는 소녀의 통통한 몸을 뚫어지게 바라보다가 퍼뜩 준이치의 얼굴로 시선을 옮겼다.

"넌 어딜 가던 길이야?"

"로카를 만나러 갔다가 10시는 되어야 일어난다길래 아까부터 근처를 그냥 돌아다니고 있었어."

"오이시 로카? 굉장히 무뚝뚝한 작자라던데. 넌 여전히 소설을 쓸 생각이구나."

"어떻게 될지 잘 모르겠어."

"넌 부자니까 뭐든 좋아하는 일을 하면 되지, 뭐. 소개는 받았어?"

"응, 네가 도쿄로 떠가고 나서 오신 다나카라는 선생님이 계셔. 동문회 때 친해져서 우리 집에 놀러 오시기도 했는데 마침 그분이 오이시의 동창이어서 소개장을 써주셨어."

“그럼 됐네. 워낙에 말도 섞기 힘든 남자라고들 해서 갑자기 찾아가면 안 될 거라고 생각했지. 이제 곧 10시야. 근처까지 같이 가자.”

두 사람은 다시 좁은 골목길을 빠져나와 넓고 한적한 길을 가로질러 준이치가 아까 건너온 실개천 널다리를 지나 센다기시타 대로로 나왔다. 아이소메 다리 쪽에서 국화 인형을 구경하러 가는 듯한 인력거들이 계속해서 왔다. 세토가 앞장서서 ‘이데이ゐで井 병원’이라고 한자와 가나를 잘못 쓴 페인트칠한 말뚝을 세워 놓은 서쪽 골목으로 들어가기에 준이치도 뒤따라갔다. 세토가 문득 생각난 듯 물었다.

“어디에서 지내?”

“아직 히카게초 여관에 있어.”

“그럼, 거처가 정해지면 알려줘.”

세토는 명함을 꺼내 도자카에 있는 하숙집 주소를 연필로 적어 건네주었다.

“난 여기 살아. 넌 로카의 문하생이 되려고? 왕성하게 활동하고 왕성하게 쓴다던대.”

“넌 안 읽어?”

“소설은 거의 안 봐.”

두 사람은 야부시타로 나왔다. 세토가 멈추어 섰다.

“난 그만 가볼게. 길은 알지?”

“여긴 아까 지나왔던 길이야.”

“그럼, 조만간 또 보자.”

"잘 가."

세토는 단고자카 쪽으로, 준이치는 네즈 신사 쪽으로 각자 발걸음을 돌렸다.

2

2층에 있는 다다미 여덟 장짜리 방이다. 동쪽으로 난 서양식 유리창 두 짝을 통해 무늬 있는 벽지를 바른 반대쪽 벽까지 해가 환하게 들어온다. 이 '소데우라관'이라는 하숙집은 중국 학생 같은 외국 학생들을 염두에 두고 지은 것 같다. 이 방은 얼마 전까지만 해도 인도 학생 두 명이 살면서 등나무로 된 긴 의자에서 빈둥거렸다. 그때 싸구려 양탄자를 깐 바닥에 지금은 다다미가 깔려 있지만 남쪽 창문 밑에 기념으로 그 의자는 그대로 놓아두었다.

테이블 다리를 잘라놓은 것 같은 커다란 탁자가 동쪽 창문 두 짝 사이에 벽에서 조금 떨어진 채 대충 놓여 있다. 왜 창문 앞에 두지 않느냐고 친구가 방 주인에게 물었더니, 커튼을 치면 해가 안 들고 커튼을 안 치면 눈이 부시기 때문이란다. 그가 젖은 손을 흰 무명 커튼으로 닦는 모습을 본 여종업원이 집주인에게 일러바친 적이 있다. 집주인이

한 소리를 하러 갔다가 이제 빨 때도 된 것 아니냐며 도리어 따지고 드는 통에 사과까지 하고 나온 모양이다. 이 방의 주인은 오이시 겐타로이다.

오이시는 방금 전 세수를 하고 돌아와 사라사 방석 위에 책상다리를 하고 앉아 작은 주전자가 김을 내뿜는 화로를 가까이 끌어다 놓고 담배를 피우고 있다. 그때 여종업원이 소반을 들고 왔다. 국그릇 옆에 명함 한 장이 올려져 있다. 오이시는 명함을 집어 들어 이름을 흘끔 보더니 말없이 여종업원의 얼굴을 바라본다. 여종업원이 말했다.

"식사를 하실 거라고 말씀드렸더니 그럼 기다리겠다면서 아래층에 계세요."

오이시는 잠자코 고개를 끄덕이더니 밥을 먹기 시작했다. 밥을 먹으면서 방석 옆에 있는 『도쿄신문』 1면에 실린 소설을 읽는다. 자기가 쓰는 소설이다. 신문사에 가서 교정은 본인이 직접 보고 이것만큼은 매일 아침 한 글자도 빠짐없이 읽는다. 그 읽는 속도가 굉장히 빠르다. 그런 다음 역시 자신이 담당하는 부록을 쭉 훑는다. 부록은 문학란으로 꽉 채우기 때문에 기자는 네댓 명 외에는 나오지 않는다. 쓰는 것은 소위 일류 소리를 듣는 작가 두세 명이 쓴 작품에 대한 비평뿐이고 그 외의 일에는 일절 관여하지 않는 것으로 되어 있다. 오이시는 그 두세 명 안에 드는 작가였다. 식사를 마치자 여종업원이 한 손에 소반을, 다른 손에 질주전자를 들고 일어서며 물었다.

"손님을 들여보낼까요?"

"어, 들여보내."

대꾸는 하지만 여종업원 쪽은 거들떠보지도 않는다. 농담 한마디 없고 영 무뚝뚝한데도 여종업원은 몹시도 깍듯하다. 그것은 오이시가 다른 이들보다 두 배나 더 수고비를 챙겨주기 때문이다. 커튼 소동이 있었을 때 집주인이 순순히 물러난 것도 같은 이유 때문이다. 오이시는 하숙비를 꼬박꼬박 잘 낸다. 가끔은 귀찮으니까 다음 달 치까지 미리 받아 달라고 할 때도 있다. 소데우라관의 그 누구도 오이시의 재력을 거스를 수는 없었다. 그런데도 그는 옷차림이 아주 수수하다. 지금 입고 있는 수수한 명주 솜옷과 조글조글한 하얀 허리띠는 그 나름 새것이기는 했지만 특별히 양복을 입지 않는 날엔 그 차림새 그대로 잠을 자고 어디든 거리낌 없이 외출을 나간다.

오이시가 『도쿄신문』을 다 보고 옆에 모아둔 다른 신문의 문학란 2, 3장만 대강 훑고 있는데 조금 전 명함을 건넨 손님이 들어왔다. 스물두세 살쯤 된 학생처럼 보이는 남자다. 줄무늬 솜옷에 무명 하카마를 입었고 하오리는 걸치지 않았다. 명함에는 『신시초新思潮』 기자라고 적혀 있는데 요새 성실한 기자들 중에는 이런 행색이 많다.

"곤도 도키오입니다."

푹 꺼진 눈꺼풀과 달리 눈빛이 날카롭고 코끝이 뾰족한 기자가 건성으로 웃으며 인사를 건넸다.

"내가 오이시요."

그는 손님 얼굴을 힐끔 올려다보기만 할 뿐 신문을 손에서 내려놓지 않았다. 용건이 있으면 빨리 말하고 가라는 속내가 고스란히 느껴졌다. 그럼에도 곤도는 웃음기를 잃지 않았다. 이 방 주인의 관심을 딱히 기대하지 않는 눈치다. 그리고 수많은 신문 잡지를 통해 얼굴이 알려진 오이시가 새삼스레 자기 이름을 대는 게 그나마 특별한 대접이라 여기는지도 모른다.

"선생님, 뭔가 해주실 말씀이 없으신가요?"

"무슨 말?"

드디어 신문이 손에서 떨어진다.

"현대사상 같은 이야기를 들려주시면 좋겠습니다만."

"딱히 아무것도 생각하고 있지 않소."

"그래도 선생님 작품에 나오는 주인공과 인물들의 생각이나 자세가 있지 않습니까? 그걸 두고 다들 이런저런 논평을 하는데, 선생님께서는 어떻게 생각하시는지 궁금합니다. 그런 이야기를 해주신다면 저희 청년들은 참 기쁠 것 같습니다. 아주 사소한 부분이라도 상관없습니다. 작은 실마리만이라도 주셨으면 합니다."

곤도는 거듭 간청했다. 여종업원이 또 명함을 들고 왔다. 이번에는 소개장도 있다. 오이시는 소개장에 적힌 다나카 아키라라는 서명과 '고이즈미 준이치 지참'이라는 글씨만 보더니 봉투를 뜯지도 않고 내려놓으며 여종업원에게 말했다.

“괜찮으니까 들어오라고 해.”

곤도는 끈질기게 매달렸다.

“선생님, 꼭 좀 부탁드리겠습니다.”

계단 아래까지 와서 기다리고 있던 준이치는 금세 올라왔다. 그리고 손님이 와 있는 것을 보고 조금 떨어진 자리에서 오이시에게 정중히 인사를 한 후 서서 기다렸다. 서둘러 걸어 온 탓에 발그스름해진 얼굴로 투명한 까만 눈동자가 신기한 바깥세상을 바라보고 있다. 오이시는 그 환한 눈빛이 자신에게 쏟아지자 저도 모르게 얼굴이 화사해지는 걸 느꼈다. 그러고는 자기 얼굴을 열심히 바라보고 있는 곤도에게 말했다.

“내가 쓰는 인물에 대한 설명은 이미 소설에서 하고 있소. 뭘 더 말해달라는 거요. 내가 요새 귀찮아서 긴 논문 같은 건 잘 안 읽는데, 대체 내가 쓰는 인물이 어떻다는 거요?”

처음으로 조금 알맹이 있는 소리를 한다. 게다가 비평가들이 뭐라고 하는지 저쪽이 말하게 하면 필시 그렇다, 아니다 하고 대꾸를 해주어야 한다. 방금 온 소년의 때묻지 않은 자연 그대로의 눈빛을 보고 오이시는 잠깐 고삐가 느슨해졌구나 싶었지만 이미 늦었다.

“비평가들은 대체로 이렇게 말합니다. 선생님께서 쓰시는 글은 진정한 고백이다. 그런 고백을 하시는 엄숙한 태도에 감복합니다. 아우렐리우스 아우구스티누스나 장 자크 루소 같은 옛사람들이 취한 태도와 같다고 합니다."

"고마운 얘기군. 난 요즘 선생들 논문도 귀찮아서 안 읽지만 옛날 사람이 쓴 글도 귀찮아서 안 읽네. 그런데 성 아우구스티누스는 젊을 때 온갖 비행을 저질렀지만 기독교에 입문한 뒤로 태도가 완전히 바뀌어 아주 독실한fanatic 수도승이 되어 참회했다더군. 루소는 아내라고 할 수도 없는 여자와 함께 살다가 아이가 태어나자 키우기 힘들어서 고아원에 보낸 일을 두고 참회했지만, 원체 한심할 만큼 고지식한 남자라 이탈리아 공사관에 있을 때 아주 빼어난 미녀들이 있는 곳에 데리고 갔는데도 벌벌 떨면서 아무 짓도 못했다지? 내가 쓰는 인물들은 죄다 칠칠치 못하고 창녀를 사지. 그게 그렇게도 대단하단 말인가?"

"네, 그게 대단하다고 합니다. 창녀는 다들 삽니다. 창녀를 사고서 나는 창녀를 산다고 자성하는 태도가 엄숙하다는 거죠."

"그럼, 창녀를 사지 않는 놈은 태도가 엄숙하지 않다는 건가?"

"그야 창녀도 사지 못하는 편협한 놈도 있겠지요. 사고 있으면서도 가식을 떨면서 모르는 척하는 놈도 있고요. 그런 놈은 내면이 빈약합니다. 그런 놈은 예술이 뭔지 몰라 소설 같은 건 쓸 수 없습니다. 참회할 수조차 없습니다. 고백할 내용이 없습니다. 엄숙한 태도를 취할 수가 없다는 겁니다."

"흠, 그럼 편협하지 않고 위선적이지도 않으면서 예술을 알고 창작할 수 있는 사람은 없다는 소린가?"

"그야, 그런 신 같은 존재가 있는지 없는지 아무도 단언하지 않습니다. 하지만 비평의 대상은 신 같은 존재가 아닙니다. 인간입니다."

"인간은 모두 창녀를 사나?"

"선생님, 저를 놀리지 마십시오."

"놀리긴 누가 놀렸다고 그래?" 오이시는 눈 하나 깜짝하지 않고 태평스럽게 책상다리를 하고 앉아 있다.

아래층 접수대에 있는 괘종시계가 솥에 음식이 눌어붙는 소리를 내는가 싶더니 이내 요란한 소리를 내기 시작했다. 지치지도 않고 계속 울려댄다. 12시다.

곤도는 그제야 생각난 듯 인사했다.

"그럼, 실례했습니다. 또 찾아뵙겠습니다."

"잘 가게. 보다시피 손님이 기다리고 있어서 멀리 나가진 않겠네."

"신경 쓰지 마십시오." 곤도는 자리에서 일어났다.

오이시는 잠시 준이치의 얼굴을 지그시 쳐다보더니 표정을 누그리고 말을 건넸다.

"자네 너무 오래 기다렸지? 아직 식사 전이지?"

"괜찮습니다."

"아침은 몇 시에 먹었나?"

"6시 반에 먹었습니다."

"뭐야, 자네같이 혈기 왕성한 청년이 6시 반에 아침을 먹고 점심때가 다 됐는데 밥 생각이 없다니 말이 되는가? 빈말이지?"

말투가 굉장히 예리했다. 준이치는 난데없이 허를 찔려 당황했지만 방 주인을 우러러보는 눈길은 거두지 않았다. 준이치는 속으로 이런 사람 앞에서 뻔한 겉치레 말을 했다는 후회와 이런 일로 뜬금없이 훈계를 들어야 하나 싶은 불평이 뒤섞여 잠시 당황했던 것이다.

"죄송합니다. 괜찮다는 건 거짓말이었습니다."

"하하하하. 자네 솔직해서 좋군. 이 집 밥은 맛은 별로지만 내가 대접하지. 대신 혼자 먹게. 난 아직 아침 먹은 지 2시간도 안 되었으니까."

준비된 밥은 금방 나왔다. 오이시는 처음부터 한 소리 들은 준이치가 사양하지 않고 먹는 모습을 흥미롭게 지켜보며 담배를 피웠다. 준이치는 밥을 먹으며 이런 생각을 했다. 오이시가 특이한 사람일 거라고 짐작은 했지만 예상을 훨씬 뛰어넘었다. 방금 전 손님이 돌아간 후 잠자코 있어 주었더라면 이쪽에서 먼저 용건을 말했을 것이다. 밥을 먹일 정도면 무슨 일로 찾아왔는지 물어볼 만도 하련만 아무 말도 하지 않으니 말을 꺼낼 기회가 없다. 아까 보니 소개장 봉투도 뜯어져 있지 않다. 소개장도 보지 않고, 용건도 묻지 않고 모르는 사람에게 다짜고짜 밥을 먹인다는 소리는 여태 들어 본 적이 없다. 정말 상식을 초월한 사람이라고 생각했다. 그런데 오이시의 생각은 지극히 단순했다. 준이치가 자기를 숭배하고 있는 청년 중 하나라는 사실은 얼굴 표정만 봐도 알 수 있다. 다나카가 소개장을 써준 걸 보면 어디에서 왔는지도 알 수 있다. Y현 출신의 숭배자. 눈앞에서 푸짐하게 한 상 먹고 있는 준이치의 속성attribute은 그게 전부다. 더 이상 많은 말이 필요 없다고 생각했다.

밥을 다 먹자 여종업원이 소반을 들고 내려갔다. 그때 오이시가 별안간 벌떡 일어나더니 벽장에서 하오리를 꺼내 입으며 말했다.

"난 이제 신문사로 가볼 테니 또 놀러 오게. 밤에는 오지 말고."

그러고는 책상 위에 있던 서류를 품에 넣고 벽에 걸어둔 중절모를 눌러쓰더니 눈 깜짝할 사이에 계단을 내려가는 것이었다. 준이치는 얼떨떨한 얼굴로 모자를 들고 뒤따라 나섰다.

3

처음 오이시를 만나고 온 이튿날이었다. 준이치는 거처를 정하려고 여관을 나섰다. 소데우라관을 보고 온 후로 하숙집이라는 곳이 싫어져서 어디 조용한 동네에 작은 집을 빌려야겠다고 생각했다. 전날에는 오이시와 소데우라관 앞에서 헤어지고 우에노에 가서 문부성 전람회를 보고 왔다. 그때 그 동네가 왠지 마음에 들어서 오늘은 신바시에서 곧장 우에노로 왔다.

박물관 앞 막다른 길에 이르자 네기시 쪽으로 갈지, 어제 걸었던 야나카 쪽으로 갈지 잠시 망설이다가 오이시를 보러 가기 편한 곳이 좋겠다는 생각에 발걸음이 자연스레 야나카 쪽으로 향했다. 미술학교 모퉁이를 돌아 사쿠라기초에서 덴노지天王寺의 묘지 쪽으로 나왔다.

오늘도 바람 한 점 없는 화창한 날씨나. 노란 은행나무 잎이 떨어진 돌길을 따라 크고 작은 수많은 묘비에 새겨진 모르는 이들의 이름을 읽어보며 유유히 하쓰네초로 걸어 나왔다.

인적이 드문 넓은 거리에 생울타리를 두른 아담한 집들이 줄지어 늘어선 동네가 있다. 그중 한 집의 통나무 기둥에 달린 사립문에 붙어 있는 '셋집'이라는 글씨가 눈에 들어왔다.

준이치가 문 앞에 서서 울타리 안을 기웃거리자 입구에 화분을 잔뜩 늘어놓은 옆집에서 머리가 하얗게 센 할머니가 나와서 말을 걸었다. 들어 보니, 세놓을 집은 화원을 하던 할머니의 남편이 장가가는 아들에게 집을 물려주면서 새로 지어 은거하던 곳이라고 한다. 할아버지는 4년 전에 아들이 전쟁터로 떠난 사이 일흔 얼마의 나이로 돌아가셨다. 그 후로 세를 놓아 유화를 그리는 사람이 살았는데 지난달 그 사람이 교토로 이사를 가는 바람에 빈집이 되었다고 한다. 화가는 독신이었다. 식사는 화원에서 가져다주었다. 이 집에서 걷히는 돈은 모두 할머니 몫이었기 때문에 만약 혼자 사는 사람이 세를 살게 되면 전처럼 식사를 제공해 줄 수 있다고 했다.

준이치는 할머니의 순박하고 단정한 모습이 무척 마음에 들었다. 할머니 역시 준이치의 얌전하고 반듯한 모습이 어지간히 마음에 들었는지 "친구랑 같이 살아도 되지만 가능하면 댁 같은 분이 혼자 지냈으면 좋겠어요"라고 말했다.

"어쨌든 한번 둘러보세요"라며 할머니는 사립문을 열어 주었다. 준이치는 허리가 구부정하고 귀가 잘 안 들리는 고향집 할머니를 떠올리며 이렇게 정정한 노인도 있구나 생각하며 함께 안으로 들어가 보았다. 지은 지 10년이 된 집이라고 했지만 세월의 흔적을 전혀 찾아볼 수 없을 만큼 깔끔했다. 할머니는 이 집을 깨끗하게 관리하는 것을 일과로 삼고 있다고 했는데 정말 그래 보였다. 제일 좋은 방은 다다미 네 장 반짜리 방인데 징검돌이 깔린 길모퉁이에 샘터가 있었다. 다실 부엌문같이 생긴 서쪽 문 바깥에는 거울처럼 반질반질 윤이 나는 복도가 다다미 여섯 장짜리 방까지 이어져 있고 부엌이 달려 있었다.

준이치는 지금까지 다실이라고 하면 음침하고 왠지 기분 나쁜 분위기가 감도는 곳이라고 생각했다. 고향집에는 옛날 에도시대에 영주님도 다녀가셨다는 다실이 있다. 날이 추워져도 모기가 날아다니는 답답한 곳이었다. 그런데 이 집은 다실 같은 분위기를 풍기면서도 굉장히 화사했다. 손님이 드나드는 다실 출입구처럼 생긴 작은 문이 남쪽으로 나 있고 동쪽 창문 바깥에 좁은 뜰을 사이에 끼고 바로 큰길이 있기 때문일 것이다.

어느새 마음이 정해졌다. 집을 쭉 둘러보고 나서 작은 출입구에 놓인 커다란 돌 위에 올라선 준이치가 "낮에 이사를 와도 될까요?"라고 묻자 샘터 옆에서 이끼 속에 뒤섞인 잡초를 뽑고 있던 할머니가 "되고말고요, 보셨다시

피 언제든지 당장 들어와 살 수 있게끔 매일 청소를 하니까요"라고 대답했다.

옆집 화원 사이에는 나지막한 대나무 울타리가 있고 준이치가 서 있는 반대쪽에 이미 꽃이 져버린 싸리나무가 동그랗게 우거져 있다. 그 옆에 한 해에 두 번 피는 빨갛고 노란 달리아 열 송이가 한껏 고개를 치켜들고 피어 있다. 꽃 위로 푸르른 햇살이 가득 내리비치는 모습을 준이치가 무심코 바라보고 있는데, 싸리 덤불에서 떨어진 달리아 사이로 반묶음 머리를 하고 폭이 넓은 크림색 리본을 단 아가씨가 머리를 쏙 내밀었다. 커다란 눈으로 준이치를 빤히 쳐다보기에 준이치도 빤히 쳐다보았다.

할머니는 준이치의 시선을 따라가다가 아가씨를 발견하고는 "저런" 하고 중얼거렸다.

"손님이에요?"

아가씨는 딱히 대답을 기다리지 않는 양 묻더니 생긋 웃었다. 그러고는 싸리 덤불 속으로 사라져버렸다.

준이치는 오후가 지나서 다시 오겠다고 약속하고 서둘러 그 집 문을 나섰다. 화원 앞을 지날 때 달리아가 피어 있는 곳을 힐끔 쳐다보았지만 나란히 깔린 화강암 넉 장이 싸리나무가 심어진 곳에서 오른쪽으로 꺾이는 바람에 더는 안쪽이 보이지 않았다.

4

하쓰네초에 이사 오고 일주일째 되는 날은 천황탄생일이었다.

세토에게는 이사 온 날 밤에 바로 엽서를 보냈다. 가까워서 당장 올 줄 알았는데 아직 오지 않았다. 오이시의 하숙집에 다시 찾아가 시인이 되고 싶다, 소설을 써보고 싶다며 뜻을 내비쳐 보았다. 시인은 타고나는 것이니 자기가 되고 싶다고 해서 되는 것은 아니라는 말로 면박을 당하지나 않을까 내심 걱정하며 털어놓았는데 오이시는 가타부타 말이 없었다. 누구 밑에서 배울 수 없다. 수련할 수도 없다. 그저 써보는 수밖에 없다. 문장은 의고문擬古文이라도 쓰겠다면 누구에게 배울 필요도 있겠지만 그런 건 오이시 자신도 할 수가 없다. 자신이 쓰는 글도 맞춤법이 틀린 데가 많을 것이다. 그런 걸 크게 신경 쓰지 않고 쓰고 있다. 한마디로 머리에 달렸다고 했다. 그러더니 어쨌거나 별로 생산적인 직업이 아닌데 그런 부분은 어떻게 생각하느냐고 묻기에 준이치가 넉넉한 집안의 외아들로 태어나 빵을 위해 일하지 않아도 되는 처지라고 답하자 오이시는 씽긋 웃더니 그럼 생활고에 시달리지 않아도 되니 이만저만한 고생은 덜겠지만, 그 대신 자극 받을 일이 적어서 자칫하면 성공의 길에서 멀어질 수 있다고 말했다. 준이치는 도통 종잡을 수 없는 이야기에 조금 실망했지만 집에 돌아와 생각해보니 오이시가 말한 것 외에 다른 무언가가 있으리라 기대한 게 잘못이고 그런 게 있을 리 없음을 깨달았다. 그러자 왠지 쓸쓸하고 서글픈 마음이 들었다. 한번은 화원을 하는 집주인 조지로가 어디서 잔뜩 사 모아 온 가구 중 하나인 중국식 책상에 앉아 '그저 써보는 일'에 착수해보려 했지만 '머리에 달렸다'는 그 머리가 영 공허하여 무엇을 써야 할지 막막했다. 도쿄에 온 후로 느낀 것도 무언가가 있는 듯하다가도 없고, 설령 있다고 해도 뒤죽박죽이어서 도무지 갈피를 잡을 수가 없었다. 한심해져 일단 들고 있던 펜을 내려놓았다.

천황탄생일 아침이었다. 눈을 떠보니 다다미 네 장 반짜리 방의 동쪽 창문 틈으로 오렌지색 햇살이 베개 언저리까지 비추고 작은 먼지들이 활발하게 떠다녔다. 머리맡에 두고 잔 시계를 집어서 보니 6시였다.

준이치는 고향에 있을 때 천황 내외의 사진에 절을 하러 학교에 갔던 일이 생각났다. 그리고 문득 아오야마에 있는 연병장에나 가볼까 하다가 이내 생각을 접었다. 군인들이 잔뜩 줄지어 걷는 모습을 구경한들 따분할 것 같았기 때문이다.

그러는 사이에 할머니가 아침밥을 가져다주어서 먹고 있는데 "할머니" 하고 부르는 상냥한 목소리가 들렸다. 준이치와 할머니의 눈길이 나란히 목소리가 들려오는 방향을 따라 남쪽 출입구 밖에 핀 달리아에 이르자, 이 집에 세 들어온 날 봤던 소녀의 머리가 같은 자리에 보였다. 리본은 역시 크림색이었고 지나치게 커다란 눈이 준이치가 미야지마의 신사에 참배하러 갔을 때 봤던 사슴의 눈이 떠오르게 했다. 준이치는 지난번 언뜻 본 후로 이 소녀를 한 번도 떠올린 적이 없지만 지금 다시 얼굴을 보니 어느새 꽤나 친근해진 것 같은 기분이 들었다. 이 소녀의 환영이 의식과 무의식의 경계를 넘나들고 있었는지도 모른다. 할머니가 말했다.

"어머나, 어서 와요. 야스는 단고자카에 뭘 사러 갔는데 금방 올 거예요. 잠깐 이리 들어오세요."

"가도 돼요?"

"그럼요. 저쪽으로 돌아서 오세요."

소녀의 머리가 싸리 덤불 속으로 쏙 사라졌다. 할머니는 준이치에게 소녀가 근처 별장에 사는 나카자와라는 은행장의 딸이고 며느리인 야스가 원래 별장에서 잔심부름을 했던지라 소녀와 친하다는 이야기를 해주었다.

그 사이에 화원 부엌 쪽으로 돌아서 온 유키는 징검돌을 따라 별채 앞으로 왔다. 나카자와의 딸은 유키였다.

할머니가 "이분은 이번에 이사 오신 고이즈미 씨예요"라고 소개하자 유키는 말없이 고개 숙여 인사하더니 준이치의 얼굴을 빤히 쳐다보며 서 있었다. 기모노와 하오리 모두 차분한 색상의 수수한 명주였지만 긴 소매 겨드랑이 아래 터진 부분으로 오글쪼글한 다홍색 속옷의 소맷자락이 삐져나와 있었다.

마시던 차를 내려놓고 역시 말없이 고개 숙여 인사를 건넨 준이치의 얼굴은 빨개졌지만 유키는 오히려 태연했다. 그리고 약간 몸을 뒤로 젖히고 있는 건가 싶을 정도로 똑바로 서 있었다. 준이치는 그 모습을 보고 왠지 남을 압박하는 듯한 싸움을 거는 태도로 느껴졌다.

준이치는 무슨 말이라도 해야겠다 싶었지만 도무지 적당한 말이 생각나지 않았다. 그래서 찻잔을 들고 차를 한 모금 마셨다. 할머니가 끼어들었다.

"아가씨는 자주 그림을 보러 오셨죠? 고이즈미 씨는 책을 읽으시니까 가끔씩 오셔서 책 이야기를 들으시면 좋겠네요. 책 이야기는 좋아하시죠?"

"네."

"저는 책은 별로 안 읽습니다." 준이치가 말했다. 그러고는 스스로 참 한심한 소리를 했다고 생각했다. 유키의 감정을 상하게 한 건 아닌가 하고 눈치를 살폈다. 그런데 유키는 여전히 입가에 미소를 띠고 있었다.

준이치는 그 미소가 또 마음에 걸렸다. 아무래도 자기를 깔보는 미소로 느껴졌고 그것이 자신이 마땅히 받아야 할 벌처럼 여겨졌기 때문이다.

준이치는 어떻게든 명예를 회복해야겠다고 생각했다. 그래서 용기를 쥐어짜며 말했다.

"잠깐 앉으시죠."

"고마워요."

오른쪽 조리가 맷돌로 된 징검돌을 하나 밟고 왼쪽 조리가 삼잎처럼 골이 진 디딤돌을 디디고 올라선다. 유키는 기장이 긴 하오리에 감싸인 허리를 유연하게 비틀며 조그만 입구 쪽에 앉았다.

천황탄생일이면 어김없이 찾아오는 화창한 날씨에 포근한 겨울 햇살이 쨍하고 비추자 유키는 눈이 부신지 옆에 있는 준이치 쪽으로 고개를 돌렸다. 준이치가 고향에 있을 때 주문해서 구입한 『근대미술사』라는 책에 '나나'라는 제목의 마네의 그림이 있는데, 거울 앞에서 큼직한 눈썹에 살짝 옆을 돌아보고 선 소녀가 그려져 있었다. 지나치게 또렷하고 반듯한 느낌을 주는 갸름한 얼굴이 유키와 많이 닮았다고 생각한 이유는 오른쪽에서 왼쪽으로 이마를 비스듬히 흘러내린 새끼손가락만큼 가닥을 낸 부드러운 앞머리 탓도 있을 것이다. 그 앞머리 아래의 커다란 눈이 햇빛은 눈부셔하면서도 준이치는 조금도 눈부셔하지 않았다.

"시골에서 올라온 분 같지가 않네요."

준이치는 얼굴을 붉히며 웃었다. 그리고 얼굴이 화끈해지는 걸 의식하고는 울컥 부아가 치밀었다. 아름다운 장미에 가시가 있다더니 다짜고짜 품평이라니 당치도 않다고 생각했다.

할머니가 밥솥을 들고 물러갔다. 두 사람은 한동안 아무 말도 하지 않았다. 준이치는 갑자기 공기가 무겁게 느껴졌다.

담 밖에는 옷깃에 털이 달린 외투를 입은 손님을 태운 인력거 한 대가 다바타 쪽으로 달려갔다.

결국 할머니가 밥상을 물리러 올 때까지 준이치는 아무 말도 하지 못했다. 할머니는 소반과 질주전자를 양손에 들고서 두 사람의 얼굴을 번갈아 보더니 "어쩜, 참 조용하시네요"라고 말하고는 부엌으로 갔다.

샘터 반대편 애기동백나무 가지에서 참새 한 마리가 날아와 물을 마신다. 이 신기한 참새가 준이치의 굳은 혀를 풀어주었다.

"참새가 물을 마시네요."

"조용히 계세요."

준이치는 자리에서 일어나 문지방까지 나왔다. 참새는 포르르 날아가버렸다. 유키가 준이치의 얼굴을 올려다보았다.

"어머, 날아가버렸잖아요."

“뭐, 제가 아니라도 날아갔을 거예요.” 제법 허물없어지긴 했지만 어설픈 배우가 대사를 읊는 느낌이다.

“그렇지 않아요.” 말투가 사뭇 친밀해졌다. 그러더니 한동안 가만히 있기에 “또 올게요”라고 인사를 할 줄 알았더니 반짝이는 커다란 눈빛만을 남긴 채 징검돌 위로 타닥타닥 발소리를 내며 사라졌다.

5

준이치는 책상에 있는 프랑스 잡지를 집어 들었다. 중학교 때 외국어로 영어를 배웠지만 성공회 선교사의 집에 매일 밤 드나들며 프랑스어를 배웠다. 처음에는 교세이 학교* 교과서를 읽는 것도 힘들었지만 1년 정도 다니다 보니 어느새 수월하게 읽을 수 있게 되었다. 그래서 교사인 베르탱 신부에게 부탁해서 파리에 있는 서점을 소개받았다. 그 후로는 서점에서 도서 목록을 보내주었기 때문에 신간을 직접 받아보고 있다. 잡지도 그 서점에서 보내준 것이다.

펼친 페이지에는 세간티니**가 죽어가는 장면이 나와 있다. 빙산 옆에 있는 오두막 같은 시골집이다. 변변한 난로조차 없다. 그곳에서 화가는 죽음을 앞두고 있다. 몸 안의

* 가톨릭계 학교로 현재의 교세이 학원.

** 조반니 세간티니(Giovanni Segantini). 이탈리아의 화가. 알프스의 풍경을 담은 그림을 많이 남겼다.

장기가 이미 작동을 멈추려 하는데 화가는 창문을 열어젖히고 빙산 꼭대기에 길게 드리운 구름을 바라보고 있다.

준이치는 책을 덮고 생각했다. 예술은 이런 거지. 내가 그려야 할 알프스 산은 지금 사회다. 고향에 있을 때 꿈꾸던 대도시의 소용돌이가 지금 나를 표류하게 한다. 아니, 표류하고 있다면 그나마 다행이다. 표류하고 있어야 하건만 나는 벼랑의 덩굴에 매달려 있는 게 아닐까? 진정한 의미로 생활하고 있지 않은 것은 아닐까? 세간티니가 한 번도 창문을 열지 않고 문밖으로 나가지 않았더라면 어땠을까? 그렇다면 산 위에 사는 보람이 없었을 것이다.

지금 도쿄의 사회 저명인사 중에는 고향 출신들이 많다. 세상은 Y현의 세상이다. 고향을 떠날 때 모 원로에게 소개해주겠다, 모 대신에게 소개해주겠다는 사람이 있었지만 전부 거절했다. 그것은 그런 사람들이 아무리 위대하고 권세가 있다고 해도 자신은 그런 걸 안중에 두고 있지 않았기 때문이다. 그리고 또 이런 생각을 했다. 사람의 만남이란 소개장 같은 것으로 성사되는 것이 아니다. 소개장 따위로 성사된 만남은 다른 무엇이 바탕에 깔려 있기에 가능한 것이다. 소개장은 우연히 거기에 있었을 뿐이다. 문이 열려 있으면 들어가 보고 문이 닫혀 있으면 그냥 지나치자. 그렇게 생각하고 다나카 선생의 소개장 한 장 외에는 전부 거절했던 것이다.

나는 분명 도쿄에 와 있다. 하지만 이래서야 도쿄를 알 수 있을까? 이래서야 고향 서재에 있는 것과 무엇이 다른가? 다르지 않으면 그나마 다행이다. 고향에서 중학교를 마치고 고등학교 시험을 치러 도쿄에 와서 지금은 대학교에 다니는 친구도 있다. 세토처럼 미술학교를 다니는 친구도 있다. 곧장 사회에 나가 직업을 구한 친구도 있다. 자신이 우수한 성적으로 졸업하고도 프랑스어 연구를 계속하며 한동안 고향에 머물렀던 이유는 자신감과 포부가 있었기 때문이다. 학사나 박사가 되기를 별로 바라지 않았다. 남들 보기에 버젓해 보이는 하고 싶은 직업도 없다. 집에는 지금처럼 지배인에게 맡겨놓더라도 일가가 편히 먹고 살 만한 재산이 있다. 그렇기에 친척들의 시끄러운 반대를 물리치고 창작가가 되기로 결심했던 것이다.

그런 결심이 서고 나서 어학 선생님이었던 베르탱 신부에게 이런저런 질문을 해보았지만 이 사람은 파리의 공기를 마셨던 사람인데도 그런 쪽의 동정은 하나도 몰랐다. 본업이라 읽고 있을 『신약성서』와 『구약성서』조차도 그것을 위대한 문학으로 바라보는 일은 없었다. 뭔가 그 속의 내용을 물어보아도 그저 문학으로 보지 않는 정도가 아니라 즐겨 읽지도 않는 것 같았다. 교단 측의 관점에서 해석한 온갖 세세한 주석이 달린 두꺼운 책을 깊이 연구하려고 하지도 않고 그저 쌓아두고만 있을 뿐이다. 그리고 만날 하는 일이라고는 고국에서 온 신문을 읽는 것이다. 신문에서 열강의 세력 균형이니 어디에서 가끔 벌어지는 외교 문제니 하는 것에 신경을 썼다. 그렇다고 뭔가 정치적인 비밀 미션이라도 수행하느냐 하면 그렇지도 않은 것 같다. 아마도 서양인들이 말하는 커피하우스 정치인 중 한 사람인 모양이다. 그것 말고는 동양으로 떠나기 전에 사 왔다는 의학 서적이 몇 권 있어서 그것을 읽으며 자기 몸만 돌본다. 특히 이 사람의 긴 갈색 머리카락이 뒤덮고 있는 머리에는 지병인 두통이 있고 낡은 탈라* 같은 검은 옷으로 감싸인 허리에도 고질병이 있는데, 항상 본인이 직접 치료하며 적당히 땜질하고 있는 모양이었다. 그런 인물이다 보니 조금만 이야기를 문학이나 미술 쪽으로 가져가려고 하면 딴소리를 하며 화제를 돌렸다. 그나마 이 사람이 해준 일은 파리의 서점을 소개해준 일뿐이다.

이런 생각을 하고 있자니 고향 변두리의 논 한가운데 질퍽질퍽한 자리에 흙을 쌓아 올려 볼품없이 지은 페인트칠한 교회당이 눈에 아른거린다. 성공회라고 적힌 낡은 나무 팻말이 걸린 빨갛게 칠한 문으로 들어가면 기와를 쌓아서 꾸며 놓은 화단이 두 개 있다. 한쪽에는 백합이 심어져 있고 다른 한쪽에는 코스모스가 심어져 있다. 둘 다 봄부터 싹을 틔워 백합은 초가을에, 코스모스는 늦가을에 가냘픈 꽃이 필 때까지 시들시들 자란다. 그중에서 코스모스는 당근처럼 잎이 쪼글쪼글하고 가느다란 줄기로 비실비실하게

* Talar. 독일어로 성직자나 법관 등이 입는 법복이나 제복을 뜻함.

버티고 서 있었다.

그 안쪽에 지붕만 고딕양식을 흉내내어 지은 페인트칠한 허접한 교회당이 있는데 프랑스어를 배우러 오는 몇몇 청년들 말고는 아무리 기다려도 안에 들어오는 사람은 없었다. 베르탱 신부는 넓고 휑한 집에 늙어빠진 요리사 겸 사환 한 사람만 쓰고 살았기 때문에 여기저기가 온통 먼지투성이에다가 대낮에도 쥐가 돌아다녔다.

베르탱 신부는 나가사키에서 사왔다는 큰 책상에 천팔백오십 몇 년 같은 연호가 적힌, 장정 색상이 빨강인지 검정인지 알 수 없게 된 책을 너저분하게 쌓아두고 있었다. 그 옆에는 먹다 만 소시지와 치즈를 담은 접시를 게을러서 부엌에 내놓지 않은 채 고국에서 온 『피가로』지로 덮어 두었다. 범 무늬 고양이 한 마리가 쌓아둔 책 위로 펄쩍 뛰어올라 몸을 동그랗게 움츠리고 소시지 냄새를 맡고 있다.

그 반대편에는 다갈색 긴 머리를 희고 넓은 이마 뒤로 빗어 넘기고 여느 때처럼 탈라 비슷한 검은 옷을 입고 누구에게 받았다는 홋카이도산 여우 가죽을 안락의자에 걸친 채 베르탱 신부가 앉아 있다. 여름이건 겨울이건 똑같았다. 겨울에는 방구석에 있는 원통형 철 난로에서 소나무 장작이 연기를 피우고 있을 따름이다.

어느 날 수업 시간보다 30분 일찍 도착해서 베르탱 신부와 이런저런 이야기를 나누었다. 그때 신부가 너는 장차 뭐가 될 생각이냐고 묻기에 정직하게 소설가Romancier가 되겠다고 했다. 베르탱 신부는 두세 번 다시 묻더니 묘한 표정으로 입을 다물어버렸다. 이 사람은 소설가에 대해서는 지금껏 한 번도 생각해본 적이 없으니 무슨 말을 해야 할지 몰랐던 모양이다. 마치 화성으로 이주하겠다는 말이라도 들은 것만큼이나 놀란 듯했다.

준이치는 잡지를 읽다 말고 이런 회상에 잠겨 있다가 문득 오늘 아침 할머니가 살려 둔 화롯불 불씨가 새하얗게 재를 뒤집어쓰고 사그라져 가는 것을 보고는 황급히 석탄을 붓고 볼을 잔뜩 부풀려 연신 공기를 불어넣었다.

6

천황탄생일 오전은 그렇게 지나가버렸다. 할머니가 가져다준 점심을 먹었다. 그때 세토 하야토가 불쑥 찾아왔다.

할머니가 아들 조지로에게 반질반질하게 다듬어 오게 한 작은 나무 팻말에 준이치가 이름을 쓰고 문기둥에 걸어두었기 때문에 금세 찾아서 들어온 것이다. 해가 잘 드는 작은 방에서 마주 앉아서 보니, 세토의 얼굴은 고향에 있을 때와는 사뭇 달라져 있었다. 야나카의 비탈길 밑에서 만났을 때는 저쪽에서 먼저 말을 걸어왔고 얼굴 생김새보다는 표정을 봤기 때문에 별로 달라졌다는 생각을 못 했지만 예전에 세토의 반지르르 했던 얼굴이 지금은 비쩍 말라서 말할 때마다 눈가와 입가에 주름이 생겼다. 주인집 할머니가 노인인데도 오히려 더 팽팽해 보일 정도였다. 세토가 말했다.

"엄청 좋은 집을 구했네."

"그런가."

"그런가라니. 정말 넌 다들 순진하다고 하는데 참 여우 같단 말이야. 시골에서 막 올라와서 보통 사람 같으면 갈팡질팡하고 있을 텐데 어디든 혼자 다니잖아. 집도 혼자 구하러 다니고. 꼭 100년쯤 도쿄에서 살던 사람 같아."

"야, 도쿄는 100년 전에는 없었어."

"이것 봐. 네 이런 면을 멍청한 녀석들은 잘 모르겠지. 넌 참 똑똑한 친구야."

세토는 똑똑하다는 말을 몇 번이고 되풀이하며 마치 자기가 준이치의 오랜 지기라도 되는 양 굴었다. 그러더니 이런 이야기를 꺼냈다. 오늘 오후는 한가하니까 준이치가 어디 가고 싶은 곳이 있으면 같이 가도 좋다. 우에노 전람회에 가도 된다. 아사쿠사 공원으로 산책을 가도 좋다. 또 한 가지는 자신이 가끔 가는 청년클럽 같은 데가 있다. 회원들 대부분은 장차 문인이 되려는 사람들이고 거기에 미술가 두세 명이 섞여 있다. 굉장히 진지한 모임이라 명사를 초청해 강연을 듣는다. 오늘은 후세키*가 온다. 로카 같은 사람과는 유파가 다르지만 어쨌든 대가이니 평소보다 사람이 많을 거라고 했다.

준이치는 잘 알든 모르든 그림을 남과 같이 보기 싫었

* 일본의 대표적인 문호 나쓰메 소세키(夏目漱石)를 모델로 한 인물로 추정된다.

다. 아사쿠사 공원의 근황은 간혹 신문에 나오는 기사로 대충 짐작되어서 굳이 가보고 싶지는 않았다. 후세키라는 인물은 유행에 뒤처지긴 했지만 어쨌든 소설가 중에서는 가장 학문이 높다고들 한다. 어떤 사람인지 얼굴을 봐두어야겠다고 생각했다. 그래서 클럽에 따라가 보기로 했다.

두 사람은 하쓰네초를 나와 우에노 산을 천천히 빠져나왔다. 박물관 앞에도 전람회장 앞에도 마차가 여러 대 서 있었다. 도쇼구 신사 근처 세이요켄* 입구 앞에 근사한 자동차 한 대가 서 있었다. 세토가 말했다.

"기차는 터너**가 그려서 그림이 됐지만, 아직 자동차 명화가 있다는 소리는 못 들어봤어."

"그런가. 문장으로는 꽤 많이 본 것 같은데."

"잘 쓴 게 있어?"

"소설이나 각본에 많이 쓰여 있기는 한데, 그냥 도구로만 쓰인 것 같아. 잘 쓴 작품은 역시 마테를링크***의 소품 정도겠지."

"흠, 대체 자동차는 얼마 정도나 할까?"

"오륙천 엔부터 더 좋은 건 만 엔 이상은 한다던데?"

"그럼 나 같은 사람은 평생 그림을 그려도 자동차는 못 사겠네."

* 도쿄 긴자에 본점을 둔 서양식 레스토랑.
** 윌리엄 터너(J. M. William Turner). 19세기 영국의 대표적 풍경화가.
*** 모리스 마테를링크(Maurice Maeterlinck). 벨기에의 시인 겸 극작가.

세토는 불이 꺼진 담배꽁초를 사람들이 줄지어 걸어가는 바닥에다 거리낌 없이 휙 버리더니 쓴웃음을 지었다. 웃으면 굉장히 추해 보이는 얼굴이다.

넓은 대로로 나왔다. 국기를 교차해서 꽂은 전차가 몇 대나 왔지만 모두 만원이었다. 세토가 무작정 사람들을 비집고 올라타기에 준이치도 어쩔 수 없이 따라 탔다.

스다초에서 갈아타서 니시키초에서 내렸다. 골목을 돌아서 빨간 기와를 얹은 간다 구청 맞은편에 이르자 세토가 걸음을 멈추었다.

이 주변에는 맨 허름한 목조주택들만 다닥다닥 모여 있었다. 그중 한 집 처마에 책방 앞에서 볼 법한 나무틀에 종이를 붙인 간판이 비스듬히 기대어 세워져 있었다. 간판 위에는 로마자로 DIDASKALIA(디다스칼리아)*라고 가로로 쓰여 있고 밑에는 세로로 '11월 정례회'라고 적혀 있었다.

"여기야. 2층으로 올라가면 돼."

세토는 나막신과 반구두가 어지럽게 널려 있는 곳에 나막신을 벗어던지고는 정면의 계단을 올라갔다. 준이치도 따라 올라가며 곁눈질로 가게를 살폈다. 접수대 나무 칸막이 뒤로 스무 살 정도 된 낯빛이 창백한 까까머리 남자가 자리에 앉아 부엌으로 연결된 석 자쯤 되는 입구에 서 있는

* 그리스어로 교리, 가르침을 뜻한다.

얼굴이 발그레하고 덩치 큰 여자와 이야기를 나누고 있다. 여자는 끈으로 소매를 동여매고 치마 밑단을 접어 올려 무릎보다 조금 아래까지 내려온 회색으로 찌든 꾀죄죄한 속옷을 훤히 드러내놓고 있다. 여자가 “어서 오세요”라고 큰 소리로 인사하며 잠깐 이쪽을 보는가 싶더니 철써기가 우는 듯한 꺽꺽한 목소리로 계속 이야기를 이어갔다.

2층은 넓고 지저분했다. 한쪽 벽 앞에 탁자와 의자가 놓여 있고 탁자 위에는 화병에 남천 꽃이 꽂혀 있었지만 언제 꽂아 두었는지 규킨*이 애용했던 표현처럼 잎이 군데군데 메말라 젖혀져 있었다. 그 옆에 물이 담긴 병과 컵이 있다.

열네다섯 명쯤 되는 손님들이 두세 개 있는 화로를 가운데 두고 꼬질꼬질한 방석 위에 앉아 있다. 사이사이에 놓인 방석은 나중에 올 손님을 기다리고 있었다.

손님들은 감색 바탕에 하얀 잔무늬가 들어간 하오리에 무명 하카마 차림이 대부분이고 거기에 학교 제복을 입은 사람도 섞여 있었다. 개중에는 대학교나 고등학교 교복도 있다.

이야기는 한창 무르익고 있었다.

준이치가 올라왔을 때 마침 입구 근처의 한 무리 속에서 누군가가 큰 목소리로 떠들었다.

“아무튼, 라이프하고 아트가 따로 노는 놈은 안 돼.”

* 스스키다 규킨(薄田泣菫). 일본의 시인이자 수필가.

준이치는 뻔한 이야기를 대단한 것처럼 과장한다고 생각하면서 세토가 다른 사람들을 소개해주지나 않을까 하고 쭈뼛쭈뼛했지만, 세토는 누구인지 친해 보이는 지인을 발견하더니 멀리 안쪽에 있는 방석으로 성큼성큼 걸어가 그 사람과 소곤소곤 분주히 말을 주고받았기 때문에 준이치는 입구 근처에 있는 무리의 한쪽 끝으로 방석을 끌어와 멀뚱히 앉았다.

이 무리는 면식이 없는 준이치가 와 있어도 전혀 개의치 않고 계속 대화를 이어 나갔다.

화제의 주인공은 단연 오늘 밤 연설을 하러 올 후세키였다. 나이 들어 보이는 사람이 말했다. 어쨌든 그 사람은 예술가로서 성공했다. 성공이라고는 해도 한때 세상을 움직였다는 측면에서 그렇다는 것은 아니다. 문예사적인 의미에서 보았을 때 그렇다는 것이다. 게다가 학식이 있다. 단편집에서 서양에 대해 썼는데 서양인이 썼다고밖에 생각할 수 없는 것들이 있다고 했다. 그러자 아까 큰 목소리로 떠들던 남자가 이렇게 말했다. 학문이나 특별한 지식은 아무런 가치가 없다. 예술가로서 성공했다는 건 인형을 잘 늘어놓고 춤추게 한다는 뜻이 아닌가. 그런 성공은 싫다. 잘 정리되어 있는 게 싫다. 인형을 멋대로 춤추게 해놓고 에고이스트인 본인은 뒤에 숨어서 사람들이 신나게 구경하는 모습을 비웃는 것처럼 느껴진다. 그것을 두고 라이프와 아트가 따로 논다고 하는 거라고 꼬집었다. 남자는 근시 안경을 쓴 마른 체구로 어울리지 않게 괜히 큰 소리를 냈다. 곁에 있던 남자가 조심스럽게 끼어들었다.

"그래도 교직을 그만둔 건 생활과 예술을 일치시키려고 한 게 아닐까?"

"알 게 뭐야."

안경 쓴 남자가 한마디로 일축했다.

여태껏 잠자코 있던 영리해 보이는 한 남자가 조심스러운 남자를 돌아보며 말했다.

"그래도 오손처럼 공직에 있는 사람에 비하면 교직을 그만둔 것만으로도 그나마 예술가다운지도 모르지."

화제는 후세키에서 오손으로 넘어갔다.

준이치는 후세키의 글은 조금 흥미가 있어 읽은 적이 있지만, 오손의 글은 안데르센 번역만 읽고 이런 시시한 작품을 심심풀이로 잘도 번역했다고 생각한 후로 그에 대해 전혀 흥미를 갖지 않았기 때문에 대화를 귀담아듣지 않고 혼자만의 상념에 빠져들었다.

대화가 점점 익어가고 웃음소리가 섞여 나왔다.

"비아냥댄다는 소리가 신경 쓰여서 스스로 비아냥댄다고 썼는데 그걸 두고 비아냥댄다는 소리를 듣다니 참 비참하네." 영리해 보이는 남자가 말하면서 다른 이들과 함께 웃는 소리가 마침 준이치의 귀에 들어왔다.

준이치는 그 소리에 그때까지 혼자 빠져 있던 상념의 단서를 놓쳐버린 채 문득 이렇게 생각했다. 자신에 대한 세간의 평가를 두고 이러쿵저러쿵하면 바보 취급을 당하든가 비아냥으로 받아들여질 게 뻔하다. 그런 일을 구태여 하는 사람은 모자란 사람일지도 모른다. 비아냥일지도 모른다. 아니면 그저 무심하게 자신을 객관화하고 있는 것일지도 모른다. 그것을 심리적으로 판단하기란 실제 성격을 모르고는 불가능하다고 생각했다.

세토가 안쪽에서 "고이즈미!" 하고 불렀다. 준이치가 소리 나는 쪽을 보자 세토는 이미 처음 있던 자리에 없었다. 그는 구석의 어린이용 책상에 앉아서 그 위에 서류를 늘어놓고 있는 남자와 화로를 사이에 두고 마주 보고 앉아 있었다.

자리에서 일어나 그곳으로 가니 책상 위에 1엔짜리 지폐와 조그만 은화가 서류 옆에 놓여 있었다. 준이치는 70전의 회비를 냈다.

"참가비랑 도시락비야." 세토가 준이치에게 설명하면서 책상 앞에 앉은 남자에게 물었다. "오늘은 과자가 안 나오나?"

뭐라 답을 듣기도 전에 아까 보았던, 얼굴이 발그레한 덩치 큰 여자가 커다란 쟁반에 1인분씩 포장한 화과자를 산더미처럼 들고 와서 한 사람씩 나눠주었다.

다 나눠주고 나서 엽차를 담은 커다란 질주전자를 여기저기 두고 간다.

준이치가 받은 과자를 손에 들고 회계 담당의 책상 옆에 앉아 있는데 "어이, 세토" 하고 부르는 소리가 났다. 세토는 냉큼 자리를 털고 가버렸다. 부른 이는 처음 왔을 때 세토와 이야기하던 남자다. 머리를 길게 기른 낯빛이 창백한 남자였다. 또 무언가를 소곤소곤 열심히 이야기했다.

사람들이 조금씩 늘어나 하필 이 책상 옆으로 모이기에 준이치는 원래 자리로 돌아갔다. 너무 입구와 가까운 탓에 자기가 앉아 있던 방석은 아직 다른 이들이 차지하지 않고 그대로 있었다. 거기에 앉으려는데 그만 누가 반쯤 마시다 놓아둔 찻잔을 쏟고 말았다. 준이치는 조금 당황하며 "아, 죄송합니다" 사과하고는 소맷자락에서 손수건을 꺼내 닦았다.

"다다미가 놀라겠어요."

농을 던진 찻잔 주인은 준이치가 긴자의 어느 매장에서 제일 좋은 것으로 달라며 우연히 구입한 플랑드르의 바티스트 원단으로 제작한 고급스러운 손수건을 유심히 쳐다본다. 이 남자는 처음부터 기둥에 기댄 채 잠자코 사람들의 대화를 들으며 이따금 준이치의 얼굴을 보고 있었다. 옷깃에 M*이라는 금장을 단 대학교 제복을 입은 체격이 좋은 남자였다.

조금 엉뚱한 대답인지라 다다미보다는 준이치가 놀라서 얼굴을 보자 "그쪽도 화가세요?"라고 묻는다. "아니,

* M은 의학(Medical Science)의 이니셜. 의학부생의 금장이었다.

그렇지 않아요. 아직 시골에서 올라온 지 얼마 되지 않아서 아무것도 하지 않아요."

준이치는 명함을 학생에게 건넸다. 학생은 "가만, 명함을 가져왔나?"라고 중얼거리며 주머니를 뒤적뒤적하더니 작은 명함을 꺼내 준이치에게 주었다. 오무라 쇼노스케라고 쓰여 있었다. 오무라가 말했다.

"전 의사가 되려고 하지만 문학이 좋아서 가끔 여길 와요. 그쪽은 어떤 외국어를 하세요?"

"프랑스어를 조금 배웠어요."

"뭘 읽으세요?"

"플로베르, 모파상, 부르제* 그리고 벨기에의 마테를링크 같은 작가들은 조금 읽었어요."

"쉬운가요?"

"네. 마테를링크는 각본은 이해하겠는데 논문은 어렵네요."

"어떻게 어렵죠?"

"뭔가 요점 파악이 잘 안 돼서."

"그렇죠."

오무라의 얼굴에 어렴풋이 미소가 스쳤다. 조롱의 기색은 조금도 없는 따뜻한 미소였다. 감격하기 쉬운 청년의 마음은 왠지 이 사람이 믿음직스럽게 느껴진다. 작품을 읽

* 폴 부르제(Paul Bourget). 프랑스 소설가이자 비평가.

고 흠모해 온 오이시를 만났을 때는 그 사람이 자신이 상상하던 모습과 다르지 않은데도 왠지 험악한 바위를 마주하는 듯한 마음이 들었다. 오무라가 어떤 사람인지는 모른다. 의대생이라면 독일어는 할 수 있겠지. 게다가 프랑스어도 할 줄 아는 모양이다. 순간적으로 이 정도만 추측할 수 있을 따름이지만 어쩐지 힘이 되어 줄 것만 같은 기분이 든다. 니체는 '나는 흐르는 강가에 있는 난간이다'라고 말했다는데, 어쩐지 지금 오무라가 자기가 붙들 수 있는 난간이라는 생각을 떨칠 수가 없었다. 그리고 준이치의 이러한 마음은 그 커다란 눈동자를 통해 오무라의 마음에도 전해졌다.

그때 아래층에서 외치는 소리가 들렸다. "여러분, 히라타 선생님이 오셨습니다." 히라타는 후세키의 성이다.

7

간사인 듯한 남자의 안내를 받으며 계단을 올라오는 후세키가 과연 어떤 사람인가 하고 준이치는 유심히 살폈다.

그는 조금 낡은 두꺼운 검은색 모직 옷을 입고 있었다. 키는 중간 정도였다. 낯빛은 창백했지만 어딘가 노련해 보이는 쾌활한 인상이었다. 세간에는 오손과 마찬가지로 남의 집 양자로 자란 삐딱한 인물이라고들 하는데 암만 봐도 그렇게 보이지 않는다. 약간 불그스레한 수북한 팔자 모양 콧수염이 기름기 없이 말려 올라가 있다. 준이치는 콧수염이라는 것이 하얗게 세기 전에 불그스레해지는 40대 정도가 되지 않으면 일본인에게는 잘 어울리지 않는구나 싶었다.

후세키는 올라오는 입구에서 오무라를 보더니 말을 걸었다. "뭔가 쓰고 있는가?"

"아직 들고 가서 봐주실 만한 글은 쓰지 못하고 있습니다."

"그냥 무작정 세상에 내놓아 보게. 활자의 세계는 자유로우니까."

"너무 자유로워서 걱정입니다."

"활자는 자유로워도 사상은 자유롭지 않으니까."

편안하면서도 남들에게 강한 인상을 주는 말투였다. 강한 인상을 주는 이유는 늘 사상이 기민하게 움직이고 그것을 딱 맞는 적합한 언어로 표현하기 때문인 듯했다.

후세키가 회계 담당의 책상 옆자리로 안내를 받고서 방석 위에 책상다리를 하고 앉아 담배를 꺼내 피우고 있는데 간사가 탁자 반대쪽으로 가서 소개했다.

후세키는 귀찮은 듯이 탁자 반대쪽으로 자리를 옮겼다. 그리고 사람들의 이야기 소리가 잦아들기를 잠시 기다리다가 천천히 입을 뗐다. 평소 대화를 하는 듯한 말투였다.

"여러분이 입센에 대해 듣고 싶어 한다고 들었습니다. 저도 입센에 대해 별로 깊이 생각한 적이 없습니다. 입센에 대한 제 지식은 여러분이 이미 갖고 있는 지식 이상은 아무것도 없을 겁니다. 모르는 이야기를 듣는 건 고역입니다. 알고 있는 이야기를 듣고 편안해지느니만 못한 법입니다. 과자가 나온 것 같으니 좀 드시면서 편안하게 들어주십시오."

이런 식이다. 억지로 힘주어 말하려는 느낌은 전혀 없다. 그렇다고 소문이 자자한 세쓰레이의 연설*처럼 눌변이면서 달변인 것도 아니다. 극히 단조로우면서도 어쩌다가 기발한 말이 의도치 않게 툭 튀어나오는 것만큼은 세쓰레이의 연설을 속기로 읊을 때와 똑같은 것 같다.

어느 정도 이야기가 진행되고 나서 이런 말을 했다. "입센은 처음에 노르웨이의 작은 입센이었다가 사회극에 손을 대면서 유럽의 큰 입센이 되었다고 합니다. 그런데 그것이 일본에 전해지면서 다시 훨씬 작은 입센이 되어버렸습니다. 뭐든 일본에 가지고 오면 작아집니다. 니체도 작아집니다. 톨스토이도 작아집니다. 니체의 말[**]이 떠오릅니다. '그때 대지는 작아졌다. 그리고 그 위에서 만물을 왜소하게 만드는 최후의 인간들이 깡충거리며 뛰어다닌다. 우리는 행복을 찾아냈다고 최후의 인간들이 말하며 눈을 깜빡이는 것이다.' 일본인은 온갖 주의, 온갖 이즘ism을 수입해 와서는 그것으로 장난을 치며 눈을 깜빡이고 있습니다. 무엇이든 일본인 손에만 들어오면 조그만 장난감이 되어버리니 원래의 것이 두려운 것이었다고 해서 겁먹을 필요는 없습니다. 야마가 소코[***]나 47인의 사무라이,[****] 미토의 낭인들을 지하에서 불러내어 작아진 입센과 톨스토이와 대적하게

* 평론가이자 철학자였던 미야케 세쓰레이(三宅雪嶺)는 평소 과묵한 데다 말을 더듬는 버릇이 있어 '눌변의 달변'이라는 평가를 받았다.

** 니체의 『자라투스트라는 이렇게 말했다』 서두에 나오는 말.

*** 에도시대 전기의 유학자이자 군사학자.

**** 주군 아사노 나가노리의 원수를 갚기 위해 기라 요시나카의 저택을 기습한 가신 47명.

할 필요가 전혀 없습니다." 이런 식이었다.

그러고 나서 새로운 것도 무엇도 아니지만 준이치가 지금까지 쌓아온 사상의 중심이 뒤흔들린 순간은 후세키가 풍자적인 말투에서 돌연 진지해지면서 입센의 개인주의에 양면이 있다고 말하기 시작하면서부터였다. 후세키는 우선 온갖 관습의 오랏줄을 차츰 벗어나 개인을 개인으로서 살게 하는 사상이 입센의 생애 역작 속에 이른바 피할 수 없는 숙명처럼 일관되게 흐르고 있다고 말했다. 이를테면 "갖가지 이별을 나는 죄다 조사했다"라는 심정인 것이다. 여기까지 듣고 있는 동안은 준이치도 지금까지 자신이 삿대를 저으며 강물을 따라 유유히 흘러가고 연설자도 같은 배에 몸을 싣고 함께 흘러가는 것처럼 느꼈다. 그런데 후세키가 갑자기 화두를 돌리면서 "이것이 입센 자신의 일면입니다. 『페르 귄트Peer Gynt』에서 시인의 면모를 발휘하고 있는 자신의 일면, 세속적인 자신입니다"라며 매듭을 짓더니, 그와는 별도로 입센에게는 처음부터 다른 일면을 가진 자신이 있었다고 말했다. "만약 그 일면이 없었다면 입센은 그저 방종을 말하는 데에 그쳤겠지요. 입센은 그런 인물이 아닙니다. 입센에게는 그와는 별도로 세속에 초연한 자신이 있었고 시종일관 나아지려고 했지요. 그것이 『브랜드Brand』에서 발휘되었습니다. 입센은 무엇을 위해 관습의 썩은 오랏줄을 끊어냈을까요. 거기에서 자유를 얻고 진흙탕에 몸을 맡기려고 한 게 아닙니다. 힘찬 날개로 바람을 가르며 높이 날아오르려고 했던 겁니다." 준이치는 이 말을 듣고 그가 일부러 무게를 잡지 않고 여전히 편안한 말투를 유지하고 있는데도 억지로 자신이 탄 배의 뱃머리를 돌려 급류를 거슬러 올라가게 하는 느낌이 들어 한동안 혼자서 깊은 생각에 잠겼다.

비유하자면 오랫동안 모아온 물건을 하나하나 소중히 기억하며 상자 안에 넣어두었는데 남이 그 상자를 마구 헤집어 놓은 기분이었다. 그것을 원래대로 돌려놓기란 어려운 일이다. 아니, 원래대로 돌려놓을 생각도 없다. 원래대로가 아니라 어떻게든 정돈하고 싶었다. 그런데 그렇게 할 수가 없었다. 할 수 없는 것도 무리는 아니다. 그런 정돈은 애초에 하루아침에 할 수 있는 게 아니다. 준이치의 귀에는 후세키의 말이 아득히 먼 곳에서 들려오는 의미 없는 잡음처럼 들렸다.

준이치는 그 잡음을 듣고 있다가 문득 청중의 동요를 느끼고 거의 무의식적으로 귀를 기울였다. 마침 후세키가 이런 말을 하고 있었다.

"졸라의 클로드*는 예술을 추구합니다. 입센의 브랜드는 이상을 추구합니다. 그 추구하는 것을 위해 처자식을 희생시키고 돌아보지 않습니다. 그리고 자신도 멸하고 맙니다. 그것을 두고 엉뚱하게 브랜드를 풍자라고 말하는

* 에밀 졸라가 쓴 최초의 장편소설 『클로드의 고백』(1865)의 주인공.

사람도 있습니다. 사실 입센은 굉장히 진지했습니다. 그러면서 오로지 더 나아지는 모습만을 보여줍니다. 전부全部인가 전무全無인가. 그 이상은 브랜드라는 주인공의 이상이지만 그것이 자기에게서 나오는 것, 자기 의지에서 나오는 것이라는 데에 입센이 추구하는 이상의 내용이 한정됩니다. 결국 길은 자기가 가기 위해 자기가 여는 길이다. 윤리는 자기가 준수하기 위해 자기가 구성하는 윤리다. 종교는 자기가 신앙하기 위해 자기가 건립하는 종교다. 한마디로 말해서 자율Autonomie입니다. 그것을 공식적으로 보여주는 것은 입센도 불가능했겠지요. 어쨌든 입센은 무언가를 추구하는 인물입니다. 현대인입니다. 새로운 사람입니다."

후세키는 여기까지 말하더니 청중이 결론인지 아닌지 갈피를 잡기도 전에 훌쩍 테이블을 떠나 아까 앉았던 자리로 돌아갔다.

드문드문 박수를 치는 이들도 있었지만 주위 사람들의 호응이 없으니 이내 멈추어 버린다. 연설이 끝났지만 대부분 저마다의 생각에 잠겼다. 다들 굉장히 조용했다.

간사가 폐회를 선언했다.

하녀가 장어덮밥을 가져다주었다. 곳곳에서 말소리가 간간이 들렸지만, 그마저도 조용조용했다. 각자가 생각에 빠져 있는 것 같았다. 오랏줄을 아직 풀지 못한 것이다. 간사가 후세키를 배웅하는 것을 신호로 회원들은 슬슬 돌아가기 시작했다.

8

준이치가 계단 근처에 서 있는데 세토가 바쁜 듯이 곁에 와서 물었다.

"넌 집에 곧장 갈 거야?"

"응."

"그럼 난 들렀다 갈 데가 있어서 먼저 갈게."

문간에서 헤어진 후 세토는 간다 쪽으로 걸어갔다. 클럽에 왔을 때부터 함께 이야기하던 남자가 종종걸음으로 그 뒤를 따랐다.

준이치가 오가와마치 쪽으로 혼자 걸어가는데 뒤에서 성큼성큼 발걸음 소리가 들렸다. 뒤돌아보니 아까 명함을 준 오무라라는 의대생이었다. 딱히 나란히 서려는 건 아니지만 자연스레 준이치의 오른쪽을 걸으며 말을 건다.

"어느 쪽으로 가세요?"

"야나카요."

"세토하고는 친하세요?"

"아뇨, 친한 건 아니지만 고향에서 중학교를 같이 다녔어요."

왠지 변명하듯 대답했다. 혈색이 좋고 건장한 오무라는 준이치와 보폭을 맞추느라 꽤나 신경을 쓰며 걷는 듯했다. 두 사람은 오가와마치의 큰길에서 스다초 방면으로 한동안 아무 말 없이 걸었다.

거리 양쪽에 죽 늘어선 가게에는 어느덧 불이 켜져 있었다. 바람이 휘이 불며 먼지를 일으킨다. 간판이 덜컥거린다. 덴카도* 앞 인도를 걸으며 오무라가 물었다. "전차를 타세요?"

"저는 조금 걸으려고요."

"쌩쌩하시네요. 그럼, 저도 게으름 피우지 말고 걸어볼까요? 하지만 그쪽은 혼고 쪽으로 돌아서 가면 손해 아닌가요?"

"아니요, 큰 차이 없어요."

또 얼마간 대화가 끊겼다. 오무라가 속도를 제게 맞춰주는 듯해서 준이치는 최대한 보폭을 크게 하며 걸었다. 하지만 준이치는 오무라가 애써 늦춰준 걸음걸이는 정돈되어 있는데 자기가 억지로 늘인 걸음걸이는 번번이 흐트러지는 것을 느꼈다. 그런데 그것은 걸음걸이뿐만이 아니었다. 어

* 간다 오가와마치에 있던 3층짜리 상업시설. 오늘날의 백화점에 해당한다.

쩐지 오무라라는 남자의 모든 것이 균형을 유지하고 있는 반면, 자신은 동요하고 있는 느낌이었다.

준이치는 이 동요의 성질을 분석해보려 했다. 그런데 그건 너무 어려웠다. 일전에 오이시를 만났을 때를 돌이켜보면 분명 그를 대단하게 생각하고 자신을 작게 생각했다. 하지만 그가 무언가를 가지고 있다는 생각은 들지 않았다. 자신도 나름대로 인습이나 규칙들을 파괴하고 있다고 생각했는데 막상 오이시를 만나 보니 그의 파괴는 자기보다 더 주도면밀한 것 같았다. 자기도 이제 조금만 더 때를 벗으면 그런 태도를 보일 수 있겠다 싶었다. 그런데 오늘 후세키의 연설을 들으니 그가 가진 무언가를 어렴풋이 확인한 느낌이었다. 그 무언가가 궁금해졌다. 자신의 동요는 그 무언가가 던진 파동이다. 준이치는 불쑥 입을 열었다.

"대체 신인新人*은 어떤 사람을 말하는 걸까요?"

오무라는 준이치의 얼굴을 잠시 바라보았다. 그러더니 눈과 입 주위에 미소가 스쳤다.

"아까 후세키 씨가 입센을 새로운 사람이라고 말해서 그런 거죠? 후세키 씨는 특이한 사람이에요. 신인이라고 말하기 싫어서 일부러 새로운 사람이라고 말하니까요. 제가

* 새로운 사상과 재능을 가진 사람. 여기서 '소극적 신인'이란 옛 관념에 구애받지 않고 새로운 사고를 하는 사람을 뜻하며, '적극적 신인'이란 낡은 관념에 사로잡히지 않는 데 그치지 않고 적극적으로 새로운 관념을 확립하려는 사람을 뜻한다.

언젠가 신인이라고 했더니 신인은 한자로 신부新婦라는 뜻이라면서 놀리더라고요."

이야기가 옆길로 새는 게 답답해서 다시 원래 이야기로 돌아갔다.

"정말 구인舊人과 신인은 여자한테만 쓰는 말이네요. 그럼, 저도 새로운 사람이라고 할게요. 새로운 사람은 결국 도덕이나 종교의 이상 같은 것에 얽매이지 않는 사람인가요? 아니면 뭔가 다른 걸 가진 사람인가요?"

또다시 미소가 번진다.

"소극적 신인과 적극적 신인 중에 어느 쪽이 진정한 신인이냐는 말이 되겠네요."

"네, 뭐 그렇죠. 그 적극적 신인이라는 게 있을까요?"

다시 미소가 스친다.

"글쎄요. 있는지 없는지 모르겠지만 틀림없이 있겠죠. 파괴하면 다시 건설하고, 돌을 무너뜨리면 다시 쌓는 거죠. 그쪽은 철학은 읽었어요?"

"철학에 관해서는 조금 읽어봤지만, 철학 그 자체는 전혀 안 읽어요." 솔직하게 주저 없이 대답했다.

"그렇군요."

저녁의 쇼헤이 다리는 사람들로 붐볐다. 우치칸다의 관문인 이 비좁은 장소에 이따금 이는 차가운 먼지를 뒤집어쓴 채 그림자 같은 군중이 바쁘게 스쳐지나간다. 한동안 말할 틈이 없어서 그 그림자와 함께 발걸음을 재촉하며 하늘을 보니 은단 광고 불빛이 파래졌다 빨개졌다 한다. 준이치는 잠시 생각해보고 말했다.

"철학이 몇 번이고 세워져도 그때마다 파괴되는 것처럼, 신인도 적극적으로 무언가를 건설하면 또 그 무언가에 얽매이게 되지 않을까요?"

"얽매이다마다요. 오랏줄이 새로워지면 당분간은 닿는 자리가 다르니 오랏줄을 느끼지 않는 거라고 저는 생각해요."

"그럼 오히려 소극적인 채로 회의에 안주하면 어떨까요?"

"회의에 안주한다고요?"

준이치는 대답이 조금 궁해졌다. "안주한다는 건 모순이네요. 그러니까 영원한 회의요."

"왠지 저주받은 것처럼 들리네요."

"아니요. 회의라는 말도 맞지 않아요. 영원히 추구하는 거죠. 영원한 희구希求요."

"뭐, 그런 거겠죠."

오무라의 말은 굉장히 냉담한 것 같았다. 하지만 그의 어조와 표정에 따뜻함이 깃들어 있었기 때문에 준이치는 불쾌하지 않았다. 성당* 뒷담 주위를 걸으며 준이치는 곰곰이 생각하다 말을 꺼냈다.

* 유시마 성당. 공자를 모신 사당.

"아까 클럽에서도 말했지만, 저는 마테를링크를 거의 다 읽었어요. 그리고 같은 학교를 다닌 친구라기에 베르하렌É. Verhaeren도 읽기 시작했어요. 얼마 전에 『다양한 광채 La Multiple Splendeur』가 도착해서 그것을 고향을 떠날 때 기차에서 읽었어요. 거기엔 꽤 정리된 인생관 같은 게 있잖아요. 묘하게 경건한 태도를 취하지요. 일본에서 신인이라고 말하는 사람들과는 정말 다르니까 이상했어요. 오무라 씨가 말하는 적극적 신인이겠지요. 소극적인 것만 쓰는 일본 신인들의 작품을 보면, 얽어맨 오랏줄을 벗어던지는 부분에서 '과연' 하고 감탄할 때가 있지만 그렇다고 깊이 끌리는 맛은 없어요. 베르하렌의 시를 보면 묘한 인생관이 있어서 그것이 당장 이쪽의 인생관이 되지는 않지만 그래도 그 경건한 분위기에 이끌려요. 로댕이 친구라던데, 로댕의 조각도 마찬가지인 것 같아요. 그렇게 보면 서양에서 신인이라 불리는 무리는 모두 통하는 데가 있는데 일본의 신인들은 아주 다른 것 같아요. 후세키 씨의 입센 이야기도 마찬가지예요. 일본의 신인이라는 사람들은 후세키가 말한 것처럼 작은 게 아닐까요?"

"작다마다요. 그건 그냥 패거리Clique죠." 오무라는 담담하게 말했다.

저마다의 생각에 빠진 채 두 사람은 혼고 거리를 걸었다. 시골 출신이라고 무시할 게 못 된다, 자신이 알고 있는 문과 학생 그 누구보다 이 독학 청년이 식견이나 능력이 뛰어나다고 오무라는 생각했다.

대학 앞에서 아직 도로 폭이 좁은 모리카와초로 접어들자 오무라가 불쑥 말했다.

"세토는 조심해서 교제하세요."

"네, 알고 있어요. 보헤미안이니까요."

"그래요, 알고 있으면 됐어요."

조만간 니시카타마치에 있는 오무라의 하숙집에 가보기로 약속하고 준이치는 고등학교 모퉁이를 돌았다.

9

11월 27일에 유라쿠자*에서 입센의 「욘 가브리엘 보르크만John Gabriel Borkmann」**을 공연했다.

준이치는 이 공연이 시대 사조상 중대한 사건이라고 믿었기 때문에 자유극장***의 발표만을 학수고대한 사람처럼 얼른 회원 가입을 해 두었다. 이보다 전인 준이치가 아직 고향에 있을 때 셰익스피어를 공연한 적도 있다. 하지만 셰익스피어나 괴테는 아무리 훌륭하게 연기한다고 해도, 그 나름대로 괜찮기는 하겠지만 지금의 청년에게 통절한 느낌을 주기는 어려울 것이다. 아니 통절하지 않은 정도가 아니다. 어쩌면 그런 클래식한, 하이카이俳諧의 이념처럼 한때의

* 일본 최초의 서양식 극장.

** 입센이 1896년에 쓴 희곡. 불미스러운 사건에 휘말린 야심가 보르크만이 과거의 영광을 그리워하며 자멸해 가는 모습을 그렸다.

*** 일본 극단 중 하나. 근대극 연구 및 상연을 목적으로 설립되었다.

유행이 아닌 영원불변의 작품을 음미할 여유가 대다수의 청년에게는 없다고 해도 좋을 것이다. 극단적으로 말하면, 만약 셰익스피어 같은 작품이 새롭게 나온다면 그것을 희곡drame이 아니라 연극théâtre이라고 할지도 모른다. 그 운문조차 장황하다고 할지도 모른다. 괴테도 그렇다. 파우스트가 신작으로 나온다면 청년들은 뭐라고 할까? 2부는 고사하고 1부조차 상징이 아닌 비유allégorie라고 할지도 모른다. 왜냐하면 근래의 사실적인 강한 자극에 익숙해진 혀로는 100년 전의 차분하고 깊은 맛은 음미하기 힘들기 때문이다. 그래서 그 고전적인 셰익스피어가 어떻게 공연되었던가? 당시의 신문 잡지를 보면 베네치아의 거리가 스루가다이의 고급 주택가로, 오셀로는 청일전쟁 때의 장교복에 삼등 훈장을 달고 등장했다고 한다. 그 무대와 의상을 상상하는 것만으로도 지금의 청년들은 모욕감을 느끼지 않을 수 없을 것이다.

27일 밤에 전차로 스키야 다리까지 가서 유라쿠자에 들어가니 1층 네 번째 줄 근처로 안내받았다. 이미 관객들은 모두 착석하고 공연 주최인의 연설이 끝난 후 마침 1막이 시작되려던 찰나였다.

도쿄에 처음 생겨 신기하다고 소문이 자자한 이 서양식 야간 극장에 들어와 봤지만 수많은 책과 그림을 통해 극장을 보아온 준이치의 눈에는 별로 신기할 게 없었다.

준이치가 앉은 자리 주위에는 맨 여자 관객뿐이다. 왼쪽에 나란히 앉은 두 사람은 어느 학교라도 다니는 듯 챙머리를 한 아가씨들인데 한 명은 담청색 하카마를, 다른 한 명은 남보라색 하카마를 입고 있다. 오른쪽에는 코트 위에 털이 풍성한 스컹크 목도리를 두른 부인이 있다. 그 부인의 왼쪽 자리가 비어 있었다.

준이치가 자리에 앉자, 머리를 맞대고 무언가 이야기를 나누던 아가씨들과 오른쪽에 앉은 부인이 잠깐 고개를 돌려 준이치 쪽을 쳐다보았다. 담청색 아가씨는 홍조를 띤 동그란 얼굴이었고, 남보라색 아가씨는 하얗고 각진 얼굴이었다. 그 각진 얼굴이 무언가와 닮았다. 서양에 호두를 깨부수는 입이 무시무시한 인형이 있다. 그것이 부드럽고 여성스러워진 느낌이다. 고향에 연설하러 왔을 때 한 번 본 적이 있는 시마다 사부로*라는 사람과 어딘지 닮았다. 둘 다 예쁘지는 않다. 반면 스컹크를 두른 부인은 굉장한 미인이었다. 아주 오뚝한 콧날에 길게 찢어진 까만 눈동자에는 색기가 흘러넘쳤다. 누가 자기 부인에게 친구를 소개한 뒤에 "자네, 지금 눈길은 누구에게나 그런 거니 신경 쓰지 말게"라고 했다는 이야기가 있는데, 말하자면 그런 눈이었다. 새까만 머리는 숱이 너무 많고 길어서 주체를 못 하는 것처럼 보였다. 아가씨들은 이내 좌우의 객석을 가끔 힐끔힐끔 둘러보며 아까보다 약간 목소리를 낮추고는 무슨 대

* 시마다 사부로(島田三郎). 일본의 정치인이자 저널리스트.

단한 용건이라도 있는 양 계속 이야기를 이어갔다. 부인은 꽤 오랫동안 준이치의 얼굴을 거리낌 없이 쳐다보았다.

"저것 봐, 막이 열렸어." 담청색 아가씨가 남보라색 아가씨를 콕콕 찔렀다. "어머, 너무 열심히 떠들다 보니 몰랐네."

객석이 어두워졌다. 회원제로 관객을 모은 만큼 여기저기 수군대던 소리가 뚝 그쳤다. 무대에서는 지금까지 일본 연극에서 관객들의 동정을 살 만한 말을 늘어놓는 이기적인egoistic 보르크만 부인이 아들이 오기를 기다리고 있는데, 아들이 아닌 젊은 시절의 옛 연적으로 정에 약하고 방탕한 말을 하는 이타적인altruistic 여동생 엘라가 와서 기나긴 대화가 시작된다. 두 사람의 대화를 듣고 있는 동안 이치에 맞는 말을 하는 부인의 강한 듯하면서도 약한 모습은 점점 동정심을 잃고 못난 소리를 하는 여동생의 약한 듯하지만 심지가 있는 모습에 자연스럽게 동정심이 생긴다. 관객들은 예상과는 조금 다르다고 느낀다. 대화는 지루해하면서도 기대감에 압도되어 숨죽이며 듣고 있다. 약간 크게 들리는 2층의 발소리가 파산한 은행장임을 알게 되는 장면에서 이렇게 무대에서 보이지 않는 상황을 그리는 기법에 익숙지 않은 관객들이 처음으로 새로운 자극을 받는다. 아들의 정부인 빌톤 부인이 등장하고 아들이 등장한다. 감정이 차츰 격해진다. 모두 물러간 후 홀로 남은 보르크만 부인이 바닥에서 몸부림치고 괴로워하면서 막이 내린다.

객석이 확 밝아졌다.

"보르크만 부인이 몸부림치는 모습이 웃길 줄 알았는데 의외로 그렇지 않네"라고 남보라색이 말했다.

"응. 우습지 않았어. 어쨌든 특이하고 재밌었어." 담청색이 맞장구쳤다.

오른쪽의 부인은 막이 내리자마자 일어났다가 곧이어 목도리와 코트 없이 돌아왔다. 공기가 따뜻해졌기 때문인 듯했다. 오글쪼글한 윗옷에 하오리를 걸치고 폭이 넓은 화려한 허리띠를 두르고 있었지만, 준이치는 그저 어둡고 고급스러운 하오리를 걸치고 있다고만 생각했다. 그러고는 무릎 위에 깍지를 낀 거의 모든 손가락의 반지가 반짝이는 것을 보았다.

부인의 눈이 다시 준이치의 얼굴로 향했다.

"당신은 각본을 읽으셨죠? 다음 막은 어떤 장면인가요?"

침착하고 또렷한 목소리다. 그리고 왠지 쇳소리가 섞인 느낌이다. 하지만 준이치에게는 목소리보다는 눈빛이 강렬하게 인상에 남았다. 뻔뻔스러운 웃음기가 눈 속에 감돌고 입으로 하는 말과는 전혀 다른 표정을 짓는 것 같았다. 그런 생각을 하다가 이내 왼쪽에 앉은 두 아가씨의 눈길이 일제히 자기에게 쏠려 있음을 알아차렸다.

"이번 공연의 각본은 읽지 않았지만 프랑스어로 읽은 적은 있습니다. 다음 막에서는 발소리가 들린 2층을 보여줄 거예요."

"어머, 당신 프랑스어 학자예요?" 부인은 이렇게 말하고는 무슨 생각이 났는지 싱긋 웃었다.

때마침 막이 열려 대답이 필요 없는 질문 같은 부인의 말이 어떤 감정에서 비롯된 것인지 준이치는 알 수가 없었다.

무대에서는 감옥에 갇힌 늑대*인 보르크만이 자신에게 피아노 연주를 들려주는 소녀의 작은 심장을 살짝 열어보고 그곳에도 일찍이 실의에 빠진 사람의 고통이 싹트고 있음을 발견하고 자신의 억울함과 불평을 애써 달래려 한다. 관객들은 그저 작은 새의 지저귐 같은 소녀 프리다의 사랑스러운 목소리를 듣고 아사쿠사 공원의 국화꽃 장식이 있는 식물원에 들어갔다가 단풍새의 새장 앞에서 발걸음을 멈추었을 때와 같은 심정이 된다.

"어머, 귀여워." 담청색 아가씨가 속삭이는 소리가 들렸다.

작은 새와 같은 프리다가 돌아가고 아비 새인 실패한 시인이 등장한다. 그도 돌아간다. 그리고 한때 목숨 걸고 사랑했던 남자를 냉혹한 언니에게 남편으로 빼앗기고 불치병에 몸이 집어삼켜진 엘라가 촛불을 들고 늙은 연인이 있는 감옥으로 들어온다. 아내가 되었다는 승자의 입장을 상

* 보르크만의 아내 군힐은 남편의 방을 '감옥'이라 부르며 그 안에 '병든 늑대'가 있다고 말했다.

징하듯 커다란 두건을 머리에 두른 부인 군힐이 문밖에서 엿듣다가 무시무시한 환영처럼 나타났다 사라진다. 손톱과 송곳니가 무뎌진 늑대의 흔들리는 마음을 위대한 사랑의 힘으로 격려하며 엘라가 그 환영의 동굴인 계단 아랫방으로 데려가려는 순간 막이 내린다.

다시 객석이 환해졌다. 바람이 숲을 흔들듯 술렁술렁 사람들의 이야기 소리가 들린다. 준이치는 또 부인의 눈길이 자기 쪽을 향하고 있음을 느꼈다.

"다음은 어떻게 되죠?"

"이제 다시 아래층이 나옵니다. 이번에 대충 결말이 납니다."

부인이 말을 건 후로 준이치는 왼쪽에 앉은 두 아가씨에게 날카로운 관찰의 대상이 되어버렸음을 직감했다. 그녀들이 자신의 시야에 들어오는 동안에는 딴 곳을 보다가 그의 고개가 정면을 향하거나 조금이라도 오른쪽을 향하면 그 시선이 화살처럼 날아와 목덜미에 꽂히는 게 느껴졌다. 보지 않아도 보이는 불쾌감이었다. Y현에 있을 때, 중학교 과학 교사 중에 야마무라라는 늙은 선생님이 있었는데, 그분은 심령술Spiritisme에 관한 이상한 미신을 가지고 있었다. 선생님이 말하길, 사람은 누구나 몸 주위에 특별한 기운이 있다. 그것을 오감을 통하지 않고도 느끼기 때문에 길을 걷다 뒤에서 다가오는 친구가 누구인지 돌아보지 않고도 알 수 있다고 했다. 준이치는 오감을 쓰지 않아도 등 뒤로 느껴지는 시선이 너무나도 불쾌했다.

막이 열렸다. 눈앞에서 죽음을 마주한 자는 일시적으로 안주하기를 원치 않는다. 나이 든 처녀 엘라는 감옥에 갇혀 있던 짐승을 나이 든 부인이 있는 아랫방으로 데리고 온다. 뜻하지 않게 고래 싸움에 새우등 신세가 된 청년 에르하르트는 부인에게 소환되어 그곳으로 돌아온다. 어머니의 말도 듣지 않는다. 아버지의 말도 듣지 않는다. 인정의 포승줄로 옭아매려는 이모의 말도 듣지 않는다. “저는 살아야겠어요!”라는 처절한 절규는 오늘 관람석을 가득 매운 수많은 학생들의 갈채를 받았고, 시들기 전에 마실 수 있는 햇빛을 남김없이 마시려는 꽃과 같은 빌톤 부인을 따라 남국을 향해 눈 속을 떠나는 은방울 달린 썰매를 타러 간다.

다음 막간 시간이었다. 휴식 시간이 조금 길다고 팸플릿에 적혀 있었기 때문에 관객 대부분이 일단 자리에서 일어났다. 준이치가 일어나려는데 하필 그보다 조금 빨리 오른쪽에 앉았던 부인이 일어서는 바람에 앞뒤로 사람들에게 떠밀려 부인의 몸에 닿았다 떨어졌다 하면서 바깥 복도 쪽을 향해 걸었다. 은은한 향수 냄새가 이따금 준이치의 코를 자극했다.

부인은 뒤돌아보며 눈웃음을 보냈다. 준이치는 무엇 때문에 웃는지 이해하지 못한 채 예의상 마주 웃어주었다. 그리고 사람들에게 떠밀리는 게 우스운 모양이라고 나중에 생각했다.

복도로 나왔다. 준이치는 사람이 뜸해지자 예의상 부인의 곁에서 떨어지려고 일부러 천천히 걸었다. 하지만 두 사람의 거리가 채 떨어지기도 전에 부인이 뒤돌아보며 말했다.

“프랑스어를 하신다면 저희 집에 책이 많으니 보러 오세요. 새 책만 보시는지 모르겠지만 옛날 책이라도 좋은 게 있을 거예요. 편하게 들르셔도 돼요.”

마치 예전부터 잘 알고 지낸 사람처럼 스스럼없는 말투다. 준이치는 명함을 꺼내 부인에게 건네며 솔직히 말했다.

“저는 고향에서 막 올라와서 야나카에 집을 얻어 사는데, 책은 거의 가져온 게 없습니다. 혹시 문학책이라면 조금 옛날 책이라도 보고 싶은 게 많습니다.”

“그래요? 문학책도 있고말고요. 전집으로 가지고 있어요. 그것 말고 역사책도 많아요. 돌아가신 남편이 법학자였는데 그 분야의 책들은 대학 도서관에 기증해버렸어요.”

준이치는 부인이 미망인이라는 사실을 이때 알았다. 그리고 처음 만난 자신에게 집으로 책을 보러 오라고 권하는 것은 집안의 주도권을 쥐고 있기 때문이라고 생각했다. 부인은 이름만 작게 적힌 준이치의 명함을 잠시 보더니 허리띠 사이에서 공단 지갑을 꺼내 안에 넣은 다음 자기 명함을 건네며 물었다.

“고향이 어디세요?”

"Y현입니다."

"어머, 돌아가신 남편하고 고향이 같네요. 도쿄에 오신 지 얼마 안 됐다면서 사투리를 하나도 안 쓰시네요."

"아닙니다, 가끔씩 나옵니다."

부인의 명함에는 사카이 레이코라고 쓰여 있었다. 준이치는 그것을 보고 "사카이 고 선생님의 사모님이셨군요"라고 말하며 정중하게 고개를 숙였다.

"남편을 알고 계세요?"

"아니요, 성함만 들었습니다."

사카이 선생은 Y현 출신 학자로 저명한 인물이었다. 몽테스키외의 『법의 정신Esprit des lois』을 한문으로 번역한 것은 평만 높고 세간에는 널리 알려지지 않았지만, 『나폴레옹 법전Code Napoléon』의 저명한 번역은 선생이 돌아가신 후에도 가치가 떨어지지 않아 지금도 사카이 가문에서는 그것으로 적지 않은 수입을 얻고 있었다. 준이치도 선생이 마흔을 넘길 때까지 독신으로 지내다가 무슨 연유에서인지 딸뻘 되는 예쁜 부인을 맞이해 채 1년도 되지 않아 척수병으로 돌아가셨다는 이야기를 중학생 때 소문으로 들은 적이 있다.

소문은 그뿐만이 아니었다. 선생은 본업인 법과대학 교수로서 일하기보다는 대대로 요직에 있는 사람의 부탁으로 여러 일을 도맡으며 퍽 다방면으로 일해 왔기 때문에 돌아가신 후에 상당한 유산을 남겼다. 그것을 미망인이 혼자 관리하며 예전 영주를 비롯해 같은 현 사람들과 일절 교류를 끊고 무슨 생각을 하는지 알 수 없는 생활을 하고 있다. 자녀가 없는데 양자를 들이지도 않는다. 어느 누구도 부인과 친하게 지내는 사람이 있다는 소리를 듣지 못했다. 부인은 선생이 돌아가시기 불과 얼마 전에 준공한 네기시의 서양식 고급 빌라에서 사는데 얌전히 남편을 애도하며 지내는 것 같지도 않다. 선생이 살아 있을 때보다 화려한 생활을 하고 있다. 그 생활은 하나의 비밀이라는 것이었다.

고향에서 이 소문을 들었을 때 청년의 상상력으로 여러 가지 환상을 가지고 있었기 때문에 사카이 부인이라는 여자는 흥미로운 소설 속 여주인공처럼 준이치의 머릿속에 각인되어 있었다.

준이치는 사카이 선생의 이름을 들어봤다고 대답하면서 부인의 표정을 살폈지만, 그 얼굴에는 아까처럼 또 무의미한 혹은 의미심장한 미소가 감돌고 있었다. 어느새 두 사람은 서쪽 계단 아래에 서 있었다.

"위로 올라가 볼까요?" 부인이 말했다.

"네."

두 사람은 계단을 올라갔다.

그때 위층 복도에서 "고이즈미 씨?" 하는 소리가 들렸다. 위에서 네다섯 계단 아래까지 올라온 준이치가 위를 올려다보니 목소리의 주인은 오무라였다.

"오무라 씨?"

준이치가 대답하자 부인이 턱을 살짝 까딱하더니 얼른 계단을 올라 혼자서 왼쪽으로 가버렸다.

준이치는 오무라와 함께 계단 입구에 섰다. 뷔페라는 글씨 밑에 아래에서 왼쪽을 가리키는 화살표가 그려진 종이가 붙어 있는 기둥이 있는 자리였다. 준이치는 오무라를 보고 반갑게 인사했다.

"이렇게 또 만나다니, 참 신기하네요."

"그렇게 신기한가요? 공연은 딱 이틀만 하고 우리는 꼭 보러 올 테니 2분의 1의 확률probabilité로 만난 거죠. 그런데 디다스칼리아 사람들은 다들 계속 오니까 거의 1분의 1이 되겠네요."

"세토도 왔을까요?"

"그런 것 같던데요?"

"이 정도로 근사한 극장이니 포이어foyer* 같은 공간도 있겠죠?"

"아니에요. 그냥 이 복도가 포이어예요. 넓은 공간이 저쪽에 있지만 식당이에요. 일본인들은 걷고 말하기보다는 뭘 먹고 마시는 걸 좋아하니까 식당을 넓게 잡은 거겠죠."

준이치의 왼쪽에 앉았던 두 아가씨가 손을 맞잡고 열심히 재잘대며 지나갔다. 그 외에도 수많은 사람들이 지나가는 와중에 오무라가 이따금 저 사람은 누구라고 귀띔해주

* 공연장 로비.

었다.

그러고 나서 오무라와 이야기를 나누며 식당 입구까지 걸어가 장난감 가게 근처에서 잠시 멈추어 서서 식당을 오가는 사람들을 바라보고 있는데 벨이 울렸다.

준이치가 오무라와 헤어진 후 계단을 내려가 자기 자리로 돌아가려고 할 때였다. 좁은 좌석 통로에서 사람들에게 떠밀리고 있는데 또 향수 냄새가 났다. 뒤를 돌아보니 사카이 부인의 수수께끼 같은 눈과 마주쳤다.

눈 덮인 문간에서 막이 열린다. 빌톤 부인이 딸을 데리고 가버리자 불우한 낙천 시인인 서기書記는 은방울을 울리며 떠나는 썰매에 치여 다리를 다쳤는데도 오로지 딸의 앞날을 축복해주며 쓸쓸한 집 등불 아래에서 홀로 울고 있을 아내를 위로해주려고 돌아간다. 무대가 언덕 위로 바뀐다. 야심만만한 사업가였던 늙은 주인공이 평생 꿈꾸어 온 큰 공장의 환영을 보며 눈 덮인 벤치 위에서 눈을 감자, 다정한 옛 연인과 평생 반목의 세월을 함께했던 미망인이 시신 위에서 악수하며 막이 내린다.

출구가 붐빌 것 같아서 준이치는 잠시 복도에 가만히 서서 무대 쪽을 보고 있었다. 무대에서는 일단 내려진 막을 다시 거두어 올리고 배우들이 마지막 장면의 자세를 취하며 사진을 찍고 있었다.

"그럼, 안녕히 가세요. 책은 언제든지 오셔서 보세요."

준이치가 뒤돌아보는 사이에 사카이 부인의 뒷모습은

어느덧 출구 쪽 인파에 파묻혀버렸다. 아무 대꾸도 하지 못했다. 준이치는 그녀가 사라진 방향을 우두커니 바라보며 문득 생각했다. '나는 여자와 말하는 게 너무 불편하고 어색한데 어째서 저 부인하고 이야기하는 건 그렇지 않을까? 게다가 저 부인은 눈빛이 묘한 사람이야. 그 눈빛 속에는 뭐가 있을까?'

돌아갈 때 유심히 살폈지만 오무라도 세토도 만나지 못했다. 왼쪽 옆자리에 앉았던 두 아가씨가 연신 인력거꾼을 부르는 모습이 보였다.

10

준이치 일기의 단편

11월 30일. 맑음. 매일 꾸준히 쓰는 일기라도 되는 양 날씨를 적는 것도 이상하다. 아무래도 나는 일기를 꼬박꼬박 쓰지는 못하겠다. 얼마 전 오무라를 보러 갔을 때 그 이야기를 했더니 “인간은 어차피 너무 많은 굴레에 얽매여 사는데 구태여 자기 스스로를 옭아매며 살 필요가 있겠어요?” 라고 했다. 정말이지 사람이 살면서 굳이 일기를 악착같이 써야 할 이유는 없다. 하지만 일기에 얽매이지 않고 무엇을 하느냐가 문제다. 무슨 목적을 위해 자신을 해방할지가 문제다.

만들겠다. 창조하겠다. 조물주가 만물을 빚어낸 것처럼 창조할 것이다. 이것이 처음 가졌던 포부다. 그러나 그것을 할 수가 없다. “하숙집 2층에서 뒹구는 주제에 뭘 쓸 수 있겠느냐?”라는 비평가들의 평을 볼 때마다 그럼, 세상을 누비고 돌아다니면 누구나 훌륭한 작품을 쓸 수 있느냐고 따지고 싶은 반항심이 고개를 쳐들다가도 다른 한편으로는 그 하숙집 2층조차 아직 모른다는 두려움과 나약한 마음이 싹튼다. 티타노스Titanos가 바위를 부수고 그 바윗덩이를 하늘로 던지려는 모습을 고깔모자를 쓴 난쟁이가 곁에서 지켜보다가 얼굴을 찌푸리며 웃음을 터뜨리는 것 같다.

그럼, 어떻게 하면 좋을까?

산다. 생활한다.

답은 간단하다. 하지만 그 내용은 전혀 간단치가 않다.

대체 일본인들은 산다는 의미를 알까? 일단 소학교 문턱을 넘어서면 열심히 학창시절을 보내려고 애쓴다. 그러면 앞날이 있다고 생각한다. 학교라는 울타리를 벗어나 직장을 다니면 주어진 일을 끝까지 해내려고 노력한다. 그러면 앞날이 있을 거라 믿는 것이다. 하지만 앞날은 없다.

현재는 과거와 미래 사이에 그어진 하나의 선이다. 이 선 위에서 살아가지 않으면 진정한 삶은 어디에도 없는 것이다.

거기에서 나는 무얼 하고 있는가.

오늘도 벌써 한밤중이 지났다. 이제 오늘이 아니다. 하지만 이상하게 정신이 맑아져 자려고 해도 잠이 올 것 같지 않다.

그렇게 오늘이 아닌 오늘은 이미 경험했다. 그것은 인생의 경험, 삶의 경험이 아니면 안 된다. 그것을 쓰려고 오랫동안 헛되이 흘러가는 순간을 기념하기 위해 공허한 숫자만을 적은 일기의 새로운 페이지를 펼친 것이다.

그러나 내가 쓰고 있는 게 뭔지 모르겠다. 사실 써야 할 게 많아야 하는데 쓸 게 거의 없다. 역시나 공허한 숫자만 쓰고 그냥 내버려 두는 편이 나을지도 모른다고 생각할 정도다.

여느 때와 다름없는 평범한 아침이었다. 으레 이삼일에 한 번씩 고향에서 할머니의 편지가 왔다. 음식 조심해라, 다닐 때 전차랑 마차, 자동차에 다치지 않도록 조심하라는 소리가 적혀 있다. 음식과 자동차 말고도 위험한 게 있다는 사실을 모르는 것이다.

그리고 일요일이라고 세토가 찾아왔다. 그는 굉장히 막역한 사이처럼 굴었다. 마치 우리가 서로 어떤 비밀을 공유하고 있고 그것을 의기투합해서 은폐라도 하고 있다는 듯한 태도다. 그리고 심심풀이로 두세 가지를 제안하고 내 선택에 맡긴다. 하지만 늘 그렇듯이 대체로 답은 정해져une direction dominante 있다. 마치 자석 바늘처럼, 공유하는 그 비밀을 가리키는 것이다. 나는 항상 되도록 그것과는 다른 방향으로 수락하지만, 이번에는 시험 삼아 모두 물리치고 "오늘 나는 집에서 책을 읽으려고"라고 말해 보았다. 그 결과는 내가 예상한 대로였다. 세토는 잠시 우물쭈물하더니 결국 돈을 빌려달라는 얘기를 꺼냈다.

내가 그의 요구를 들어주는 건 그리 어렵지 않다. 그러나

나는 중학교 때 일찍이 겪었던 일을 되풀이하고 싶지 않았다. "너한테 지난번 빌린 돈도 아직 갚지 않았는데 정말 미안하다"라는 말은 가장 순진한 방법이다. "오랫동안 고마웠어"라며 일단 빌린 돈을 내놓은 다음 다시 얼마를 더 요구하는 것은 오래된 수법이다. 그리고 가장 기발한 수법은 "이제 이 돈만 빌려주면 푼돈으로 갚지 않아도 되니까 제발" 하고 말하는 것이다. 푼돈을 목돈으로 만드는 건 좋은데, 하필이면 빚을 목돈으로 만들어서 어쩌자는 건지. 나는 그런 경험을 반복하고 싶지 않았다. 그래서 단호하게 처음부터 거절하기로 했다. 그런데 그 거절 경험이 아주 부족했다. 나도 고향에서 보내온 돈을 어디 어디에 쓴다는 예산을 세우고 있으니 필요 없는 돈은 없다. 그래도 그 예산을 조금 변경하면 빌려주지 못할 정도는 아니다. 당장에 그가 요구하는 정도의 돈은 있다. 그걸 없다고 해야 하나? 그런 거짓말은 하고 싶지 않다. 게다가 거짓말을 한들 그것이 거짓임을 상대방은 훤히 다 안다. 그것은 불쾌한 일이다.

고향을 떠나기 직전이었다. 역시나 이런 식으로 속으로 고민한 끝에 "이 돈은 갚지 않아도 되지만 이번이 마지막이야"라고 말한 일이 있다. 그리고 그 친구와는 그 일을 마지막으로 절교한 상태다. 정말이지 쓸데없는 결벽증이었다. 거짓말을 하고 싶지 않다고 해서 상대의 체면을 구길 필요는 없다. 그러느니 차라리 거짓말을 하는 게 나을지도 모른다.

나는 용기를 내어 세토에게 말했다. "나는 지금까지 돈 때문에 좋지 않은 경험이 많았어. 너와 나 사이에 금전적인 관계는 맺고 싶지 않아. 부탁인데 그것만은 하지 말자." 세토는 놀란 눈으로 내 얼굴을 보더니 다른 이야기를 두세 마디 하다가 서둘러 돌아가버렸다. 그는 나보다 세상 물정에 밝다. 아마 이번 일로 교제를 끊지는 않을 것이다. 다만 태도는 바뀔 것이다. 이제 "너는 참 똑똑해"라는 말은 하지 않겠지만 오히려 예전보다 나를 조금은 똑똑하다고 여길지도 모르겠다.

하지만 나는 이런 걸 쓰려고 일기장을 펼친 게 아니다. 불확실한 목적으로 방문하는 사람은 일부러 돌아가는 길을 택한다. 나는 내가 쓰고자 하는 게 무엇인지 마음속으로 확실히 모르기 때문에 굳이 쓸데없는 걸 쓰고 있는 게 아닐까?

오후에 사카이 부인을 찾아갔다. 유라쿠자에서 알게 된 후 오늘 찾아가기까지는 실은 고민할 시간이 꽤나 필요했다. 갈지 말지 이성적으로 자문해 보았다. 프랑스 책이 많다니까 가서 손해 볼 것 없지 하면서도 남들 입방아에 오르내리는 부인의 저택에 가는 건 바람직하지 않다는 생각도 했다. 그런데 이성적으로 찬성pro하는 이유와 반대contra하는 이유가 서로 다투는 와중에 의지가 끼어들었다. 나는 가보고 싶었다. 가보고 싶었던 데에는 분명 책을 보고 싶다는 이유도 있었다. 하지만 사정없이 자신을 해부해 보니 아무래도 그런 이유 때문만은 아니었다.

나는 그 부인의 눈 속의 비밀을 알고 싶었다.

유라쿠자에서 돌아온 후 나는 그 눈을 종종 떠올렸다. 거의 무의식적으로 떠올리다가 퍼뜩 놀란 적도 있다. 이를테면 그 눈이 나를 뒤쫓아 왔다. 혹은 그 눈이 나를 끌어당기고 있다고 해야 하나. 실은 이성이 다투는 와중에 의지가 끼어들었다는 건 주객이 전도된 이야기일 뿐, 그런 이성의 다툼은 그 눈이 가진 자석과도 같은 힘에 대한 무력한 저항에 지나지 않을지도 모른다.

결국 그 저항을 의지가 물리친 날이 오늘이었다. 나는 네기시로 향했다.

집은 금방 알 수 있었다. 평평하게 다듬은 떡갈나무가 검은 나무 울타리 위로 드높이 우뚝 솟아 있는 모습이 무슨 비밀을 감추고 있는 양 음산한 분위기를 풍기는 저택이었다. 돌기둥에 쇠창살로 된 대문이 굳게 잠겨 있고 그 옆 쪽문만 열려 있었다. 문 안쪽 좌우에는 나지막한 대나무 울타리가 있고 그 안쪽에 서양식 현관문이 있었다. 벨을 누르자 열네다섯쯤 된 예쁘장한 하녀가 나와 명함을 받아 들고 들어가더니 잠시 후 다시 나와 "이쪽으로 오세요"라며 안내해주었다.

안내된 곳은 2층의 서양식 방이었다. 가장 먼저 눈길을 끈 것은 바토J. A. Watteau의 그림을 밑그림으로 사용한 듯한 벽에 걸린 아름다운 고블랭gobelins이었다. 젊은 남자가 정원

풀숲 앞에 선 부인의 손에 입을 맞추고 있다. 초목의 초록색과 두 남녀의 차분한 빨강, 보라, 노란색 옷 색감이 때마침 창문으로 들어오는 석양을 받아 은은하면서도 기분 좋은 분위기를 자아냈다.

하녀가 차를 내오더니 "사모님께서 금방 오실 거예요"라고 알려주고 나갔다. 차를 한 모금 마시고 책이 진열된 책장 앞으로 가보았다.

책장의 책들은 대부분 내가 예상했던 책들이었다. 코르네유, 라신, 몰리에르는 고급스럽게 제본된 전집이 갖추어져 있었다. 그리고 볼테르와 위고의 책들도 꽤 있었다.

책 제목을 이리저리 훑고 있는데 부인이 들어왔다.

나는 수수께끼 같은 눈을 다시 보았다. 나는 누구나 말할 법한 간단하고 평범한 말과는 모순된 듯한 표정을 다시금 이 여자의 눈 속에서 찾아냈다. 그리고 그것을 보자마자 내가 이곳에 온 이유는 코르네유나 라신에 이끌려서가 아니라 이 눈에 이끌려서 온 것이라고 확신했다.

나는 부인과 어떤 이야기를 나눴는지 기억나지 않는다. 이 기억이 사라진 것은 지성적intellect으로 그다지 큰 소모는 아닌 게 분명하다. 그러나 묘하게도 내 기억은 결코 비어 있지 않다. 대화의 내용은 잊었는데도 어떤 단어는 기억났다. 더 정확하게 말하면 언어는 잊고 음향은 기억하는 것이다. 어떤 특정 단어가 귓가에 맴도는 이유는 음향으로 맴돌기 때문이다.

또 하나 기억에 남는 내용은 부인의 거동이다. 몸의 움직임이다. 어떻게 서 있었는지, 어떻게 앉았는지. 그리고 손가락 끝이 너무도 가느다란 손이 어떻게 움직이지 않고 거의 상징적으로 무릎 위에 깍지 껴져 있었는지, 그럼에도 그 손이 얼마나 민첩하게 하녀가 가져온 홍차를 받아서 건네주었는지 하는 것들이었다.

이렇게 음향과 움직임에 대한 기억이 그 순서가 불확실한 것치고는 하나하나 선명히 남아 있다.

참 이상하다. 나는 부인의 동작을 기억하고 있으면서도 그 동작이 정지된 상태에 대해서는 기억이 굉장히 흐렸다. 그 아름다운 얼굴만 해도 표정으로 기억할 뿐 생김새로 기억하는 것은 아니다. 그 눈만 해도 그렇다. 고향에 있을 때 어떤 할아버지가 나에게 소는 뿔하고 귀 중에 어느 쪽이 위에 달렸느냐고 물은 적이 있다. 그 정도는 알고 있었기에 금방 대답했더니 할아버지가 말했다. "나리들 중에 그걸 금방 아는 분은 거의 안 계십니다." 누구든 생김새가 어떤지는 잘 기억하지 못하는 모양이다. 유독 여자 얼굴만 그런 건 아니다.

그렇다면 부인의 옷에 대해서는 얼마나 기억하고 있는가. 그건 거의 기억나지 않았다. 기억은 오히려 부인의 말을 더듬었다. 내가 무심코 부인의 하오리 줄무늬를 보자 부인이 말했다. "이상하죠? 할머니가 이렇게 화려한 옷은 입으셨거든요. 저는 옛날에 입던 외출복을 평상복으로 입어요.” 나는 그 말을 듣고 그제야 아, 그렇구나 했다. 너무 화려하다는 느낌은 나에게는 없었다. 그저 화사한 옷 색깔이 부인의 외모와 잘 어울리지만 어딘지 평범하지는 않은 것 같다는 생각만 했다.

일기를 써 내려가는 내 펜은 아직 겉돌고 있다. 나는 소심한 겁쟁이이다.

오랫동안 내버려 두고 거들떠보지도 않았던 일기장을 펼쳐서 펜을 든 것은 무엇 때문인가. 어떤 경험을 쓰려 했던 게 아닌가. 어째서 경험할 용기는 있으면서 그것을 쓸 용기는 없는 것인가. 아니면 용기가 있어서 감히 경험한 게 아니라 남 때문에 어쩔 수 없이 함부로 경험하게 된 것인가. 함부로 경험하고도 부끄럽지 않은가.

네기시 집 철문을 뛰쳐나왔을 때만 해도 나는 피가 뜨겁게 들끓고 있었다. 그리고 이유를 알 수 없는 상쾌함을 느꼈다. 일종의 활력 같은 걸 느꼈다. 그때의 나는 평소의 나와는 달랐고 평소의 나는 그때 상태와 비교하면 뜨거운 혈관 속에 차가운 물고기의 피를 담아두고 있던 게 아닌가 하는 생각조차 들었다.

하지만 그것은 몸이 느끼는 것이었지 생각은 혼돈스러웠다. 나는 처음에 성큼성큼 걸었다. 추운 밤, 나막신이 땅을 디디는 요란한 소리가 났다. 그러는 사이에 차츰 걸음이 느려지며 우구이스 언덕 위에서 서쪽으로 돌아 석등이 죽 늘어선 사당 앞을 지날 즈음에는 그때까지 살갗을 태우던 피가 어딘가로 흘러가버리고, 얼굴이 창백해지고 살갗에 소름이 돋는 것을 느꼈다. 그와 동시에 생각이 점점 질서를 회복하기 시작했다. 맑은 기쁨이 솟아났다. 마치 발작이 절정paroxysme에 이르는 병을 가진 자가 그 발작이 지나간 후 안도하게 되는 느낌이랄까. 나는 라신의 책 한 권을 손에 들고 있었다. 그리고 그것을 돌려주러 가야 한다는 의무감이 별로 유쾌한 의무가 아닌 듯이 느껴졌다. 이미 그 눈이 마력을 잃어 더 이상 나를 끌어당기지 못하게 된 게 아닌가 하는 생각이 들었다.

별안간 야릇한 기억이 떠올랐다. 그것은 부인의 어떤 자세였다. 내가 라신을 빌리고 돌아가려고 하자 춥다면서 하녀에게 따뜻하게 데운 포도주를 가져오게 해 내가 그것을 마시는 모습을 지그시 바라보면서 그때까지 앞으로 몸을 구부리고 앉아 있던 긴 의자에 등을 한껏 기대며 하얀 버선을 신은 두 발을 앞으로 쭉 뻗었다. 떠오르는 기억은 아무런 의미가 없는 듯한 그때의 자세였다.

그 모습이 떠오르자마자 나는 그 집에 갈 때부터 돌아올 때까지 부인과 나눈 대화를 떠올려 보고는 애정 섞인 말 한마디가 없었다는 사실에 놀랐다. 그리고 모든 소설과 각본이 죄다 허구가 아닌가 하는 의심이 들었다. 그때 문득 오드*라는 이름이 생각났다. 다만 오드의 눈은 바다처럼 사람을 표류하게 하는 죽은 눈, 공허한 눈인데 부인의 수수께끼 같은 눈은 살아 있다는 점만 달랐다. 그 눈은 많은 것을 이야기하고 있었다. 게다가 그 자세도 무언가를 나에게 말해주고 있었다. 그런 대화 방식이 신기했다. 어디까지나 예의 바르면서도 그와는 딴판으로 아주 경박한frivole 데가 있는 점도 오드와 닮았다고 생각하며 걷고 있는데 미술학교와 도서관 사이를 도는 길모퉁이에서 순사가 느닷없이 얼굴에 손전등을 들이대는 바람에 깜짝 놀랐다.

나는 오늘 이 일기를 쓰기 위해 목적지를 향해 멀리 돌아간다고 했는데, 이대로라면 결국 목적지를 벗어나 그 주위를 맴도는 것과 같다. 하지만 나는 모르는 사람이었다가 오늘 아는 사람이 되었다. 그리고 한때 솟구친 물결이 순식간에 다시 잠잠해져 그로부터 아직 2시간 남짓밖에 지나지 않았는데도 마음은 철인처럼 평온해졌다. 나는 이런 것을 전혀 예상치 못했다.

예상치 못한 건 그뿐만이 아니다. 내가 아는 사람이 되는데 이런 우연한 계기로 아는 사람이 되리라고는 예상치 못했다. 나는 연애를 해야 비로소 아는 사람이 되려는 생각은 아니었지만 그렇다고 사랑 없이 자존심을 쉽게 벗어던질 생각도 없었다. 더욱이 사카이 부인은 절대로 절대로 내 연애 대상이 아니다.

나에게 내면의 충동, 본능적인 충동이 있은 지는 이미 오

* 벨기에 소설가 르모니에의 작품 『사랑하는 남자(L'homme en amour)』(1897)에 등장하는 요염하고 방종한 미망인.

래다. 나는 마음이 불안해져 책을 읽고 있는데도 눈은 건성으로 글자를 보고, 마음은 그 뜻을 음미할 수 없게 된 적이 있다. 나는 갑작스러운 충동에 이끌려 아무런 목적도 없이 밖으로 뛰쳐나가 정처 없이 이곳저곳을 돌아다니다가 내가 무언가를 찾고 있음을, 고티에의 『모팽 양』*에 나오는 소년처럼 여자를 찾고 있다는 걸 깨닫고 자책까지는 하지 않았지만 스스로를 비웃은 적이 있다. 그때 내 기분은 묘했다. 어떤 특별한 모험aventure을 해보고 싶다. 그 상대가 여자라면 좋겠다. 그런데 그 우연한 만남에 몸을 맡길지 말지는 의문이다. 그 순간에 갖게 될 사려 깊은 선택이나 의지가 내려줄 판단을 기다릴 뿐이다. 내 몸은 소중히 아껴야 한다. 함부로 몸을 내맡기고 싶지 않다. 어쩌면 여자를 만나 여자가 자신을 허락하는데도 내가 응하지 않고 여자를 되도록 모욕하지 않으면서 달래고 위로하며 헤어지면 유쾌할 텐데. 그러면 혹여 드물게 순결한 관계가 성립하지 말라는 법도 없다. 아니, 아니지. 그건 불가능하다. 서양 소설을 보면 그럴 때 여자들은 도저히 모욕감을 느끼지 않을 수 없는 모양이다. 아니면 설령 일시적으로 순결한 관계를 맺었다 해도 그건 분명 비슷한 듯하나 전혀 달라서, 그 순결은 유예된 오염에 지나지 않을 것이다. 어차피 아주 먼

* 고티에의 장편소설. 남장을 한 미모의 여주인공 모팽이 남녀 모두에게 사랑을 받는 이야기. 예술지상주의적인 사상이 특징이다.

훗날까지는 알 수 없다. 어쨌든 모험을 하고 볼 일이다. 뭐, 이런 생각이 반쯤은 의식의 문턱 밑으로, 반쯤은 그 문턱을 넘어 마음속을 오간 적이 있다. 그럴 때면 나는 그걸 자각하고 각성하면서 스스로 부끄러워했다. 나는 얼마나 겁 많고 나약한 인간인가? 어째서 진정한 생활을 추구하지 않는가? 어째서 열렬한 사랑을 추구하지 않는가? 나는 패기 없는 내가 부끄러웠다.

하지만 아무튼 내면의 충동은 있었다. 그리고 외부의 유혹도 없었던 건 아니었다. 나는 어릴 때부터 사람들에게 귀여움을 받았다. 줄곧 착한 아이라는 말을 들었다. 나이 든 어른들, 특히 할머니들이 친구를 흉보면서 나를 치켜세워주었다. 착한 아이라는 자각은 은연중에 내 모습을 돌아보면서 스스로 기뻐하는 마음을 키워주었다. 나의 허영심vanité을 키웠다. 그 후로 나는 단순히 내 잘난 외모를 의식하는 데 그치지 않았다. 나는 차츰 그것을 이용하게 되었다. 내가 어떤 눈빛으로 쳐다보면 완고한 어른들이 맥없이 양보해버리는 일이 있었다. 그래서 처음에는 거의 의식하지 않고 타인의 저항을 느낄 때면 그런 눈빛으로 쳐다보게 되었다. 나는 차츰 그것이 교태라는 걸 자각할 수밖에 없었다. 그것을 자각하고 난 후로는 사내대장부가 이런 내시들이나 할 법한 짓을 해서는 안 된다고 반성한 적도 있지만 착한 아이에서 미소년으로 거듭난 오늘날에도 도무지 이 교태를 버리지 못하고 있다. 이 교태가 무형의 나쁜 습관이라기보다는 오히려 유형의 기괴한 형체처럼 내 몸에 붙어 있다. 이 교태는 나의 깨어난 의식이 없애려고 했기에 오히려 세련되고raffiné 순진한 가면을 뒤집어쓰고 그늘에 숨어서 한층 위세를 떨치고 있는 게 아닌가 하는 생각이 든다. 그리고 외부에서 오는 유혹, 특히 이성의 유혹은 이렇게 스스로 기뻐하는 감정과 교태가 서로 긴밀히 내통하고 있어 나로서는 굉장히 막기 힘든 것이었다.

오늘 있었던 일은 밭에서 돋아난 싹에 지나지 않는다.

나는 그 일을 후회하지는 않는다. 왜냐하면 요즘 사회에서 거의 찾아볼 수 없게 된 남자의 정조는 설령 존중해야 한다고 해도 그건 몸을 지키거나 자기를 중히 여기는 이기주의 외에는 아무런 의미도 없다고 생각하기 때문이다. 그런 이기주의는 내게도 있다. 그때의 나는 순간적으로 이성의 빛이 비쳤지만 이가 딱딱 맞부딪칠 만큼 흥분의 구름이 그것을 순식간에 뒤덮어버렸다. 그 찰나의 광명이 사라진 순간, 나는 속으로 '뭐, 미망인이라고!' 하고 쾌재를 불렀다. 히라가 겐나이*가 어디선가 말한 적이 있다. "남의 아내가 추파를 던지면 목에 문신형을 당할 각오를 하는 게 좋다. 과부는." 대충 이런 말이었는데, 그런 기분이었다.

어쨌든 나는 이기주의라는 면에서 어떤 손실을 초래했

* 히라가 겐나이(平賀源內). 서구의 학문과 기술을 다방면으로 연구하고 자국화를 위해 노력했던 학자.

음을 자각한다. 그리고 앞으로 또다시 그런 손실을 초래하고 싶지 않다고 자각한다. 하지만 후회라는 이름을 붙일 만큼 씁쓸하지는 않다.

씁쓸하지는 않다. 그럼 달콤하냐고 묻는다면 그렇지도 않다. 그때 일시적으로 나타난 활력, 고양감은 금세 흔적도 없이 사라지고 내 방에 돌아와 책상 앞에 앉은 뒤로는 아무런 적극적인 느낌도 없다. 내 몸에 커다란 생리적 변동이 일어난 것 같지도 않다. 오히려 평소보다 약간 공허한 마음이 든다. 하지만 그 공허함은 네기시의 집으로 이끌리는 공허함은 아니다. 사랑도 없고 동경도 없다.

과연 이런 경험이 생활인가? 도무지 그런 것 같지 않다. 진정으로 충만한 생활은 분명 아니다.

나는 진정한 생활을 해나갈 수 없는 걸까? 나도 퇴폐의 늪에서 생겨난 뿌리 없는 부평초이고, 꽃은 피울지언정 꿈처럼 창백한 꽃에 불과한가?

이제 더 쓸 내용도 없다. 날이 새기 전까지 잠깐 눈을 붙여 볼까. 잠이 오면 좋으련만. 그저 이렇게 잠이 오지 않을 것 같은 느낌만이 흥분의 기념일지도 모른다. 아니면 그 여파조차 이미 사라져버리고 지금 잠이 올 것 같지 않는 건 오랫동안 글을 쓰고 있던 탓인지도 모르겠다.

11

준이치가 네기시에 다녀온 이튿날은 전날처럼 화창한 날씨였다.

준이치는 원래 아주 밤늦게까지 책을 읽어도 아침이 상쾌하지 않은 적이 없지만, 오늘 아침에는 해가 환히 비치는 장지문 앞에 앉아도 머리가 띵하고 눈이 부셨다. 세수를 하면 나을까 싶어 서둘러 툇마루로 나왔다.

미세한 수증기를 머금은 아침 공기에 감싸여 사방이 온통 파리해 보인다. 조지로가 한가하다면서 솔잎을 깔아준 샘터 주위를 보니, 마른 솔잎이 깔린 마당 경계에 두른 굵은 새끼줄 위로 군데군데 서리가 내려앉아 있다.

나막신을 신고 훌쩍 문밖으로 나와 쪼그려 앉은 채 길가를 바라보았다. 한텐*을 입은 직공 두 명이 띄엄띄엄 이야

* 방한복이나 작업복으로 입는 길이가 짧은 일본의 전통 겉옷.

기를 나누며 지나간다. 입김이 하얬다.

그렇게 잠시 쪼그려 앉아 있으니 두통이 가라앉았다. 툇마루로 돌아와 양치를 할 때 전날의 기억이 어렴풋이 떠올랐다. 그때의 일을 다시 한 번 천천히 생각해봐야 할 것 같았다. 안에서 방을 쓰는 소리가 들린다. 할머니가 벌써 이부자리를 개고 동쪽 문을 활짝 열고 밖으로 먼지를 쓸어내고 있는 것이다.

서둘러 세수하고 방으로 들어가 보니 깔끔하게 청소가 되어 있다. 곧장 탁자 위에 놓인 일기로 눈길이 갔다. 어제 자기가 실제로 겪은 일보다는 그걸 일기에 어떻게 썼는지가 당면한 문제인 양 여겨졌다. 기억은 기억을 불러일으킨다. 그리고 준이치는 일종의 불안감에 휩싸이기 시작했다. 그것은 어제 겪은 일에 대해 어젯밤 심리적인 분석이 제대로 되지 않은 부분이 있어서 전체적인 판단도 틀린 것처럼 느껴졌기 때문이다. 똑같은 상황이라도 밤에 생각했을 때와 낮에 생각했을 때는 다른 면모를 드러낸다.

어젯밤의 일은 어젯밤만의 일이 아니다. 앞으로 어떻게 될까. 나에게 연애 감정이 없는 건 사실이다. 그러나 그 부인에게 더 이상 나를 끌어당길 힘이 없느냐 하면, 그건 퍽 의심스럽다. 어젯밤 있었던 일이 모두 지난 일처럼 느껴지는 건 학질에 걸린 환자가 한 차례 발작을 일으킨 후에 병이 완쾌된 것처럼 느끼는 것과 비슷하지 않을까. 또다시 그 수수께끼의 눈이 보고 싶어지지는 않을까. 어젯밤 밤이 깊어진 후의 심리 상태와는 달리 어쩐지 이미 미세하게 그 눈의 매력이 작용하기 시작한 것처럼 느껴지기조차 했다.

게다가 혼자서 셈을 해본들 무슨 의미가 있겠는가. 문제는 이쪽 생각만 중요한 게 아니라는 것이다. 저쪽 생각도 고려해야 한다. 유라쿠자에서 처음 만난 후 저쪽은 목표를 향해 거침없이 앞으로 돌진해 왔다. 나는 수동적이다. 앞으로 내가 어떻게 할지보다는 저쪽이 어떻게 해줄지가 문제일지도 모른다. 연애 감정이 있느니 없느니 하며 아는 척을 했지만, 저쪽이야말로 연애 감정이 없을 것이다. 그렇다면 내가 부끄럽게 여겨야 할 이 교제를 저쪽이 언제까지 이어갈 생각인지가 문제가 아닐까. 애초에 그건 일시적인 게 분명하다. 그렇지만 일시적이란 말은 상대적인 말이다.

이런 생각을 하고 있는데 할머니가 아침을 가지고 왔기에 준이치는 젓가락을 들었다. 할머니는 밥 시중을 들면서 말했다.

"어젯밤에 보니까 밤늦게까지 공부하시던데."

"네, 친구 집에 책을 빌리러 갔다가 얘기가 길어지는 바람에 늦어졌는데 일을 좀 하다 자느라고요."

변명하듯 대답하고는 이것이 이 집에 오고 나서 시작된 첫 거짓말이라는 생각이 문득 스쳤다. 그러고는 마음이 불편해졌다.

식사를 마치자 할머니는 화로에 숯을 넣어주고 돌아갔다.

준이치는 어젯밤 빌려온 라신을 꺼내 한두 장 펼쳐 보았지만 영 읽을 마음이 들지 않았다. 그래서 이런 고전은 마음이 더 편안할 때 읽어야 한다며 스스로 변명했다. 그러고 나서 이삼일 전 간다에 있는 프랑스어책 전문 서점인 산사이샤에서 사 온 위스망스의 소설을 꺼내 읽기 시작했다.

소설가인 주인공이 의사인 손님과 나누는 대화가 적혀 있다. 대화의 주제는 이미 한물간 자연주의의 득실에 관해서였다. 점점 현실 세계와 멀어지면서 결국에는 거의 맥이 끊겨버린 문예에 어쨌거나 생명을 불어넣은 것은 자연주의의 공적이다. 그렇지만 번잡하고 장황한 글로 평범하고 저속한 사상을 그리기에 이르게 된 자연주의 작가들의 말로를 끝까지 배척하는 손님의 말도 분명 일리가 있다.

자연주의의 공적을 칭송할 만한 예시로 발자크, 플로베르, 공쿠르 형제, 끝으로 졸라를 들었다. 하여간 훌륭한 계보다.

준이치는 일본에서 축소된en miniature 자연주의 운동을 반추해보며 아무리 좋게 봐주려고 해도 별로 고맙게 느껴지지 않았다. 준이치도 도쿄에 오고 나서 소위 자연주의를 표방하는 이들을 가까이서 만나본 후로 맹목적으로 동경하는 마음이 많이 식어버렸다.

대화를 마친 손님이 돌아간다. 주인공이 혼자 생각에 잠긴다. 그러고는 이런 말이 나온다. "진실한 소재, 부분 부분 세밀한 내용, 그리고 풍부하고 섬세한 언어, 이것들은 사실주의가 보존해야 할 측면이다. 그러나 그 위에 영적인 가치를 담지 않으면 안 된다. 기적을 관능의 병으로 설명하려고 하면 안 된다. 인생에는 영혼과 육체라는 두 부분이 있고 그것이 서로 어우러져 있다. 오히려 마구 뒤섞여 있다. 소설도 가능하면 그 두 부분을 공존하게 하고 싶다. 그리고 그 두 부분의 반응, 갈등, 조화를 쓰고 싶다. 한마디로 말하면 졸라가 깊이 천착했던 길을 밟아가면서 그것과는 별개로 그것과 병행하는 길을 공중에서 통하게 하고 싶다. 그것은 이면의 길, 배후의 길이다. 한마디로 영적 자연주의를 건립하는 것이다. 그렇게 된다면 그것은 또 하나의 자랑이리라. 또 다른 완전함이리라. 또 다른 강대함이리라." 그런 대단한 일도 못 하면서 자연주의를 안줏거리로 삼으려는 자유주의liberal 유파와 전신체電信體*의 폼만 잡는 문장으로 어설프게 영적 예술인 양 흉내를 내며 사상의 빈곤함을 숨기지 못하는 유파가 생겨났다는 것이다.

여기까지 읽은 준이치는 갑자기 생각이 책을 벗어나기 시작했다. 눈으로는 글씨를 보고 있어도 머릿속으로는 다른 생각을 했다.

어제 자신이 겪은 경험이 육체적인 경험일 뿐이며 자신의 영혼은 따로 공중의 길을 걷고 있다는 생각이 들기 시작하

* 독일 문학가인 가타야마 고손이 독일 자연주의 시인 아르노 홀츠가 쓴 시의 작품을 '전신체'라 말한 데서 유래했다.

면서 책에 적힌 내용은 뒷전으로 밀려났다.

그 영혼을 벗어난 관계를 사카이 부인은 언제까지 이어갈 작정일까. 어제도 이미 마음속에 떠오른 오드처럼 언제까지고 내 주위를 맴돌 것인가. 아니면 부인은 목적을 달성할 때까지는 거침없이 앞으로 나아갔지만 이미 목적을 이룬 시점이 처음이자 끝이 아니었을까. 빌려온 라신의 책 한 권이 지금 나와 저쪽을 잇는 한 가닥의 끈이다. 책을 돌려주면 저쪽은 그 끈을 끊어버릴까? 아니면 그 한 가닥을 두 가닥 세 가닥으로 만들어버리는 건 아닐까. 편지를 보내오지는 않을까? 조만간 찾아오는 건 아닐까?

이런 생각이 들자 왠지 그 편지가 기다려진다. 그 사람이 기다려진다. 유키는 가끔 이 방에 왔다. 아무리 친해져도 어색하기만 해서 돌아간 후에는 절로 한숨을 내쉬게 된다. 그 부인은 처음 만났을 때부터 어색하지 않았다. 이 방에 훅 들어오면 얼마나 자연스럽게 행동할까. 무슨 이야기를 해야 할지 몰라 난감해할 일은 없을 거다. 굳이 말하지 않아도 알 수 있다는 모습이겠지.

준이치는 여기까지 생각하고는 차츰 공상이 제멋대로 날뛰고 있음을 깨달았다. 그리고 스스로가 참 한심해졌다.

나는 사내가 아닌가. 경험이 없어 지금까지는 수동적이었지만 그렇다고 해서 언제까지고 수동적으로 있으란 법은 없다. 저쪽이 어떻게 생각하든지 간에 어떻게 대응할지는 이쪽 마음이다. 더 이상 저쪽 마음대로 되게 내버려두지 않겠다고 이쪽이 결심만 하면 그만이다. 빌린 책은 소포로도 돌려주면 된다. 편지가 와도 뜯어보지 않으면 그만이다. 찾아오면 딱 잘라 거절하면 된다.

준이치는 여기까지 생각하고는 과연 자신이 그렇게 할 수 있을지 반문해보았다. 그리고 주저했다. 그것을 미리 정해두지 않고 내버려 두는 게 묘미라고 느꼈다. 그 주저하는 마음에 허를 찌르듯 온갖 기억이 떠올랐다. 일어나거나 앉을 때 몸의 부드러운 움직임, 의미심장한 표정, 편안한 말소리가 생각났다. 그리고 그것을 아쉬워하는 미련을 스스로 차마 떨쳐내지 못하는 것이다. 다시 이 방에서 그 태도를 본다면 어떨까 하고 생각해본다. 벗어 던진 모직 코트, 그 위에 놓인 머프까지 고스란히 눈앞에 보이는 듯하다.

퍼뜩 정신이 든 준이치는 자조하며 다시 위스망스를 읽기 시작했다. 뒤르탈이라는 주인공이 여행에 지친 문예가라면, 자신은 아직 여정에 오르지도 않은 사람이다. 뒤르탈은 지금 세상에 진저리가 나서 차라리 천주교에 몸을 바치려고 하다가 그 '공허를 향한 비약'을 구태여 하지 않고 막다른 길에서 몇 번이나 발걸음을 돌렸다. 그것이 왜 진저리가 났는가 생각해보니 정말 바보 같다. 지금 세상은 수많은 기적을 감당하지 못한다. 돈 같은 것도 대단한 기적이다. 뭔가 일을 하려는 사람의 손에는 돈이 없다. 돈이 있는 사람은 아무것도 못 한다. 부자가 돈이 생기면 악업이 조장된다. 가난한 자가 돈이 생기면 타락의 사다리를 타고 내려가게 된다. 돈이 모여 자본이 되면 개인에게 불행을 가져다주고 갑자기 인류에게 화를 입히게 된다. 수많은 사람이 돈 때문에 굶어 죽고 세상은 그 앞에 무릎을 꿇는다. 이것이 악마의 처사가 아니라면 참으로 불가사의한 일이다. 기적일 것이다. 이 기적을 믿을 수밖에 없다면 삼위일체론도 믿을 수밖에 없게 되는 셈이다.

준이치는 얼굴을 찌푸렸다. 그리고 작가의 염세주의에는 다소 공감하면서도 천주교를 유일한 도피처로 삼는 모습을 보고 인습이 얼마나 깊이 뿌리박혀 있는지를 절실히 느꼈다.

11시 반쯤에 오무라가 찾아왔다. 월요일 오전 마지막 1시간짜리 강의와 오후의 임상 수업이 아무개 교수의 수업인데 그 교수가 사고로 쉬는 바람에 오늘은 소풍이나 가볼까 한다고 했다. 준이치는 흔쾌히 응했다.

"저는 아직 도쿄 근교를 하나도 몰라요. 마침 날씨도 좋으니 어디든 같이 가요."

"날씨는 요즘이 제일 좋죠. 그런 건 외국인들이 더 잘 아는 모양인지 일본은 겨울에 추워지기 전이 가장 날씨가 좋다고 했대요."

"그래요? 어디로 갈까요?"

"글쎄요. 저도 아직 정하지 않았어요. 일단 우에노에서 기차를 타보죠."

"이제 곧 점심이네요."

"우에노에서 뭘 좀 먹고 가죠."

준이치가 하카마를 입고 있는데 오무라가 탁자 위에 놓인 책을 펼쳐 보았다.

"대단한 걸 읽네요."

"그래요? 아직 첫 부분만 봤는데 굉장히 염세적이더라고요."

"맞아요. 천주교라는 막다른 길까지 간 다음 왔던 길을 되돌아와서 영적 자연주의가 되는 부분을 말하는 거죠?"

"네. 거기까지 봤어요. 대체 앞으로 어떻게 되죠?"

준이치는 하카마를 다 입고 사냥모를 집어 들었다. 오무라도 자리에서 일어나 문간에 걸터앉아 목구두를 신었다.

"걸으면서 말해줄 테니 기다려요."

준이치는 먼저 나막신을 찔러 신고 화원 뒤쪽으로 가 점심은 먹지 않겠다고 말하고 오무라와 함께 걷기 시작했다. 오무라와 나란히 걸으니 자칫하면 이 건장하고 덩치 큰 사내에게 압도될 것만 같은 기분을 금할 수 없었다.

준이치의 기분이 전해지기라도 했는지 오무라는 준이치를 흘끔 쳐다보더니 말했다.

"천천히 가죠."

왠지 양보하듯 감싸는 듯한 말투였다. 하지만 준이치는 딱히 불쾌하지 않았다.

"아까 소설은 결국 어떻게 돼요?" 준이치가 물었다.

"뭐, 엄청나죠. 상대로 나오는 여주인공은 진짜 악마주의자satanistе니까요. 하지만 뒤르탈은 깜짝 놀라서 발을 빼버리죠. 프랑스 사회에서 도덕과 종교가 사라지고 오로지 악마주의만 존재한다는 이야기예요. 여태 그 작가의 책을 읽어 본 적 없어요?"

"네. 읽을 기회가 없었어요. 그 책도 따로 주문해서 산 게 아니에요. 세토가 산사이샤에 프랑스 소설이 많이 있다길래 갔다가 우연히 산 책이에요."

"세토는 프랑스어를 못 읽죠?"

"네. 학교에서 권장해서 회화책인지 뭔지를 사러 갔다가 보고 와서 말해준 거예요."

"그렇겠죠. 어쨌든 읽어 보세요. 내용이 아주 강렬해요. 절대 청년들이 읽을 책은 아니죠."

눈으로 웃으며 준이치의 얼굴을 본다. 준이치는 묵묵히 걸었다.

덴노지 앞길로 나왔다. 날씨가 좋은 것치고는 오가는 사람이 뜸했다. 성묘하러 가는 듯한 여자들이 탄 인력거와 마주쳤다. 가게 앞에 멍석을 깔고 아이들이 햇볕을 쬐며 놀고 있다.

동물원 앞에서 도쇼구 입구의 기둥 문 하나를 가로질러 세이요켄 뒤쪽으로 들어갔다.

접수대 앞을 지나 식당으로 들어가니 마침 손님이 하나

도 없어서 종업원 두세 명이 난로 앞에서 이야기를 주고받다가 퍼뜩 놀라며 뿔뿔이 흩어졌다. 그중 하나가 베란다 근처 테이블까지 따라와 주문을 받았다.

술은 어떻게 할지 묻기에 오무라는 맥주, 준이치는 청량음료를 주문했다. 오무라가 말했다. "춥겠어요."

"술을 못 마시지는 않지만 찾아 마실 만큼 좋아하진 않아서요."

"그럼, 권하면 마시긴 해요?"

이 말이 준이치의 귀에 묘하게 걸렸다. "네. 아무래도 저는 소극적이라passif 어쩔 수가 없네요."

"누구나 모든 일에 능동적actif이고 적극적agressif인 건 아니죠."

종업원이 수프를 가지고 왔다. 둘이서 잠시 식사를 하며 잡담을 나누다가 준이치가 불쑥 말했다.

"남자의 정조에 대해 어떻게 생각하세요?"

"글쎄요. 저는 의학도이지만 남자는 생리적으로 여자보다 정조를 지키기 힘든 것만큼은 사실인 것 같아요. 그렇다고 지키기 불가능한 건 아니고 지키는 게 해로운 것도 물론 아니에요. 저에게 묻는다면, 저는 지키는 걸 찬성해요."

준이치는 살짝 얼굴이 화끈해졌다. "저도 지키고 싶어요. 그래도 정조란 건 이기적인 의미밖에는 없는 것 같은데 어떻게 생각해요?"

"어째서죠?"

"그러니까 자기를 아끼는 것에 불과한 게 아닐까요?"

오무라는 뭔가 잠시 생각하는 듯하다가 이렇게 말했다. "그렇게 보면 그럴 수도 있겠네요. 제가 이해 못 하는 건 생활의 충동이나 종족 유지 같은 의미에서 생각했기 때문이에요. 그런 측면에서 보면 생활의 충동을 억제하는 것이니 이기적egoistique이라기보다는 이타적altrustique인 게 되니까요. 왠지 철학적인 말 같지만 그렇게 보는 게 당연한 것 같아요."

준이치는 손에 들고 있던 포크를 내려놓고 눈을 빛냈다. "정말 그러네요. 부탁이니 철학적인 이야기를 들려주세요. 저는 고향에 있을 때부터 무엇이든 인습에 얽매이는 건 시시하다고 줄곧 생각했어요. 그래서 속으로 제 주변의 모든 걸 부정하게 되었죠. 물론 소설 같은 것의 영향을 받아서 그럴 수도 있어요. 그러고서 요즘 제 생각을 점검해 보게 되었어요. 언젠가 당신과 신인에 대해 이야기한 적 있죠. 딱 그때부터였어요. 그때 적극적 신인에 대해서 이야기했는데, 그 적극적이란 말의 의미가 확실히 저에게 와닿지 않았어요."

종업원이 오무라의 앞에 놓인 튀김 접시를 치우더니 준이치의 앞으로 와 얼굴을 물끄러미 쳐다보았다. 준이치는 "가져가요"라고 말하고는 포크를 접시 위에 내려놓은 다음 말을 이어갔다. "그래서 종종 혼자 생각해봤어요. 그랬더니 제 생각이 죄다 이기적인 것 같은 거예요. 심지어 아주

치졸한 이기주의라 거의 독선주의라 해도 좋을 정도로요. 저는 이건 아니라고 생각했어요. 무언가를 희생하지 않으면 아무것도 얻을 수 없다고 생각했어요. 그런데 저는 지금껏 희생을 치르거나 헌신적인 태도를 보인 적이 한 번도 없어요. 그 뒤로는 이것도 이기적이고 저것도 이기적인 것 같았죠. 그러다 보니 정조라는 것도 생활의 수용이나 종족 유지가 희생되었다는 측면을 고려하지 않고 자기 보존적이고 이기적인 측면만 생각했어요."

오무라의 얼굴에 밉지 않은 미소가 번졌다. "그래서 자기를 희생해서 사랑을 얻으려고 한 거예요?"

"아니요. 그런 건 아니에요. 저도 사랑을 기대하지 않는 건 아니에요. 하지만 사랑이 인생의 전부라고 생각하지 않으니 사랑을 성취하는 게 적극적 신인의 모습이라고도 생각하지 않아요." 준이치는 약간 억지스럽게 웃었다. "그러니까 빈곤 가구를 조사하듯이 자기 덕목을 헤아려보고 정조 얘길 꺼낸 거예요."

"그렇군요. 인간이 하는 일이란 게 특히 그게 선善이라면, 같은 일을 해도 이기적인 동기로 할 때도 있지만 이타적인 동기로 할 때도 있고 그 두 가지 동기를 다 갖는 경우도 있겠죠. 그러니 신인들도 적극적인 것을 추구해서 도덕을 구성하거나 종교를 구성하게 되면 그건 결국 이기적일 순 없을 거예요."

"그럼, 결국 또 인습 같은 어떤 것에 얽매이게 되는 거잖아요. 언제 그 얘길 했더니 당신은 오랏줄이 닿는 자리가 다르다고 했죠? 그 의미를 도무지 잘 모르겠어요."

"정말 어려운 걸 기억하시네요. 저는 뭐 이렇게 생각해요. 인습의 굴레는 본능적이고 무의식적이라고. 신인이 도덕에 얽매이는 것은 같은 굴레라도 의식적으로 얽매이는 거예요. 인습에 얽매이는 것이 도둑이 도망 다니다 결국 붙잡히는 것이라면, 신인은 큰 도둑이 되어 당당히 자기 이름을 대고 웃으면서 포박당하는 거예요. 어차피 잡혔다느니 포박당했다느니 하는 말을 사용할 테니까요."

오무라가 자기가 말해놓고 스스로 거리낌 없이 웃기에 준이치도 따라 웃었다. 잠시 후 준이치가 말했다.

"그렇게 보면 도덕은 자기가 만드는 것이면서도 이타적이면서 사교적인 거네요."

"물론 그렇죠. 자기가 만든 개인적 도덕이 공적인 것이 되면 비약이니 부활이니 말하죠. 그래서 적극적 신인이 생기면 사회 문제도 내부적으로 해결되는 거겠죠."

한동안 대화가 끊겼다. 요리는 닭구이와 양상추샐러드가 나왔다. 그걸 먹고 나서 베란다에 나가 커피를 마셨다.

계산을 마치고 사각모와 사냥모 위로 포근한 겨울 햇살을 받으며 도쿄에서는 흔치 않은 건조한 공기를 들이마시면서 두 사람은 세이요켄을 나섰다.

12

두 사람은 산을 가로질러 도키와카단이라는 요정 뒤쪽의 작은 언덕을 내려가 정거장으로 들어갔다. 날씨가 좋아 근방에 사는 사람들이 많이 나와서인지 매표소 앞은 짚신을 신고 보따리를 든 사람들로 발 디딜 틈이 없었다.

"어디로 갈까요?" 오무라가 물었다.

"저는 오지王子도 아직 가본 적이 없어요." 준이치가 말했다.

"오지는 너무 가까워요. 오미야로 가죠." 오무라는 이등석 대합실 쪽을 돌아 일등석 표 두 장을 샀다.

시간은 아직 20분 정도 남았다. 오무라가 삼등석 승객이 기다리는 벤치가 있는 자리 한구석에서 담배를 사는 동안 준이치는 일등석 대합실에 들어가 보았다.

그곳에서 어떤 신기한 광경이 준이치의 눈에 들어왔다.

중앙에 배치된 테이블 옆에 어떤 부인이 서 있다. 나이는 이미 쉰을 훨씬 넘었으련만 준이치의 눈에는 마흔 정도로 밖에 보이지 않았다. 수수하긴 해도 우아하게 차려입었다. 작게 묶은 올림머리에 화려한 머리 장식 하나 없지만 쥐색 모피 목도리를 두르고 같은 색 모피 머프를 끼고 있다. 그리고 대여섯 명쯤 되는 남녀에게 둘러싸여 있었는데 그 자세나 태도가 눈길을 끌었다.

흡사 여왕이 신하를 거느리는 모습이다. 그동안 집을 지키고 있을 노파에게 할 일을 일러둔다. 수행원인 듯한 갓 서른쯤 된 양복을 입은 남자에게 지시한다. 배웅하러 나온 듯한 여학생 하나하나에게 훈계를 늘어놓는다. 핏기가 거의 없는 입술에서 엄숙한 말이 흘러나온다. 세련의 극치를 더한 문장처럼 한마디 한마디가 군더더기라곤 없다. 거기다 말끝 하나 흐리지 않고 또박또박 말한다. 준이치는 고향에 있을 때 규슈의 대규모 훈련을 보러 따라갔다가 사단장이 나팔로 장교를 불러 모아 명령을 하달하는 모습을 본 일이 있다. 그때 말고는 이런 말투로 말하는 사람을 본 적이 없다.

준이치는 마음속으로 이 미지의 부인과 사카이 부인을 비교하지 않을 수 없었다. 두 사람 모두 눈에 띄는 여성이고 어딘가 기교를 부리는 듯하면서도 그것이 거의 자연스럽다. 다른 여자들은 어설프게 무대에 오른 느낌이다. 일본은 예술에도 어떤 기교maniérisme가 있듯 풍습에서도 기교가 있다. 책이나 그림에서 본 서양 여자들처럼 자연스럽지가 않다. 그리고 그 기교 있는 부인들 중에서 사카이 부인이 여성스럽고 영리한 쪽을 대표한다면, 이 부인은 여장부나 현부賢婦 쪽을 대표하는 것 같다.

그때 준이치를 찾아다녔는지 오무라가 밖에서 안을 들여다보길래 준이치는 곧장 밖으로 나가 함께 삼등석 승객이 기다리는 벤치 옆 돌길을 이리저리 걸으며 말했다.

"방금 일등석 대합실에 있던 부인은 예사롭지 않던데, 봤어요?"

"보다마다요. 그 유명한 다카바타케 에이코 씨잖아요."

"그래요?" 준이치는 내심 과연 하고 고개를 끄덕였다. 도쿄의 여학교 교장으로 수많은 칭송과 비판을 한 몸에 받던 인물이다. 교장에서 물러난 이유에 대해서도 온갖 소문이 난무했다. 고향에 있을 때 다나카 선생님이 말하길, 에이코 씨는 연설을 잘해서 어떤 의도를 가지고 학생들 앞에서 연설하면 나폴레옹이 부하들을 고무시킬 때 했던 웅변을 연상시킬 정도라고 한다. 악덕 신문의 온갖 공격을 받으면서도 고별 연설을 할 때 전교생들을 울렸다고 한다. 심지어 그것이 일시적인 감동으로 그친 게 아니었다. 반마다 고별 기념품을 선사하려고 모금을 했을 때 응하지 않은 학생이 거의 없었다는 것이다. 어쨌든 영웅이다. 한결같이 자기 감정을 자기 의지로 지배하고 있는 인물이리라.

"여장부란 소문은 들었지만, 언뜻 보고도 저렇게 눈에 띄는 사람일 거라고는 생각지도 못했어요."

"맞아요, 출중한 여자죠."

"게다가 실제로도 훌륭하잖아요."

"훌륭하고말고요. 오스트리아인인데 젊은 나이에 자살한 학자 있죠? 오토 바이닝거라고. 저는 니체 다음으로 제일 감명 받은 책이 그 사람이 쓴 책인데 거기서 이런 논의를 해요. 어떤 남자라도 어느 정도 여성스러움W을 가지고 있듯이 어떤 여자라도 어느 정도 남성스러움M을 가졌다고. 개인은 모두 M + W라는 거예요. 그리고 여자 중에 훌륭한 사람은 M의 비율이 높다고 해요."

"그럼, 에이코 씨는 M을 굉장히 많이 가졌겠네요." 준이치는 이렇게 말하며 자신에게는 W가 꽤 많을 것 같아서 기분이 좋지 않았다.

보따리를 든 사람들은 진작부터 검은 나무 팻말이 세워진 개찰구에 몰려 있었다. 목책이 열리자마자 서로 떠밀리며 플랫폼으로 나간다. 준이치는 아무튼 이럴 때는 사람이 드문드문해질 때까지 기다리는 편이지만 오늘 오무라가 사람들을 떠밀지도 않고 그렇다고 남들에게 길을 양보하지도 않으면서 군중을 공기처럼 취급하며 앞장서 가기에 그 뒤를 따라 서둘러 나왔다.

일등실에 들어와 보니 둘이 제일 먼저 도착했다. 그때 준이치가 대합실에서 본 양복 입은 남자가 빨간 모자를 쓴 역무원에게 가방을 건네더니 뛰어왔다. 역무원이 세로로 놓인 왼쪽 벤치 중앙에 가방을 놓고 낙타털로 짠 굵은 체크무늬 무릎 덮개를 옆에 깔았다. 양복 입은 남자가 밖으로 나왔다. 오무라가 옆 방향 좌석 뒤쪽에 앉았기 때문에 준이치도 나란히 자리에 걸터앉았다.

이어서 동네 사람인 듯한 할머니와 젊은 여자가 들어왔다. 순진한 준이치이지만 머리 모양과 산호 장식을 단 여자가 게이샤일 거라고 짐작은 했다. 두 여자는 작은 가죽 가방을 중간에 두고 걸터앉았다가 이내 나막신을 벗고 가방을 사이에 끼우고 서로 마주 보고 반듯하게 앉았다. 두 사람의 하얀 버선이 좌우 대칭symétrique으로 의자 끝으로 삐죽 나와 있다.

게이샤 같은 여자는 스스럼없이 이쪽을 보고 있다. 준이치는 조금 부담스러워 도움을 구하듯 오무라를 보았다. 오무라는 모르는 척하며 사람들이 바삐 오가는 플랫폼만 바라보고 있다.

탈 만한 승객들이 거의 다 탔을 때쯤 에이코 씨가 객실로 들어왔다. 아까 그 양복 입은 남자는 삼등석을 타는 모양인지 인사를 하더니 뛰어갔다. 여학생 네다섯 명이 창밖에 나란히 서 있다. 에이코 씨는 열린 차창을 통해 나이 든 여자에게 무언가를 말했다.

발차를 알리는 기적이 울렸다. "건강하세요.", "안녕히 가세요." 상냥한 여학생들의 입에서 인사말이 재잘재잘 흘러나온다. 에이코 씨는 차창 안에 꼿꼿이 서서 고개를 까딱하며 인사했다. 여학생 중에서 제일 나이가 많고 마른 얼굴에 아주 활달해 보이는 소녀가 기차가 꽤 멀어질 때까지 손수건을 흔들며 배웅했다.

에이코 씨는 조용히 무릎 덮개를 깐 채 머프에 손을 넣고 단정히 앉아 있다.

한동안 아무도 입을 열지 않았다. 닛포리 정거장을 지날 무렵 처음으로 입을 뗀 이는 술집 여자인 듯한 여자들이었다. "간다고 생각하고 있을까요?" 젊은 여자가 묻자 "아니." 나이 든 여자가 대답한다. 의외로 조심스러운 작은 목소리다. 하지만 조용한 객실에서는 훤히 다 들렸다. 대화는 시종일관 주어가 없는 이야기뿐이었다.

오무라가 아무 말이 없자 준이치도 눈치를 보며 입을 다물고 있었다. 에이코 씨는 여전히 단정하게 앉아 있었다.

차창 밖은 맨 똑같은 논길만 보이고 이따금 손님을 태우고 천천히 지나가는 인력거가 보인다. 벼를 벤 논에서 참새가 떼를 지어 날아오른다. 볼썽사나운 인물이 그려진 어느 광고판 위에 앉아 있던 까마귀가 부리를 크게 벌리고 깍깍 울면서 날아오른다.

객실 안은 왼쪽 차창으로 스며든 햇빛 속에서 작은 먼지가 둥둥 떠다닌다.

술집 여자 같은 여자들도 입을 다물었다. 어째선지 오무라가 아무 말도 하지 않기에 준이치도 따분해하면서도 잠자코 있었다.

오지를 지날 무렵 창밖 경치를 보던 준이치가 "여기가

오지죠?"라고 묻자 오무라는 "이 열차는 서지 않아요" 하고 답하더니 다시 침묵했다.

아카바네 역에서 역무원 한 명이 들어와 테이블 위에 준비해 둔 엽차 온도를 확인하더니 밖으로 나갔다. 이곳과 와라비, 우라와 역에서도 승객이 조금 타고 내렸지만 준이치가 있는 조용한 일등석 객실은 승객이 그대로였다. 에이코 씨는 시종일관 단정하게 앉아 있다.

3시가 넘어서 오미야에 도착했다. 역무원에게 표를 내보이며 정거장을 빠져나오자 오무라가 사뭇 후련해하며 말했다.

"와, 정말 답답했어요."

"왜요?"

"바보 같지만, 전 어떤 부류의 사람한테는 되도록 저를 관찰하게 하고 싶지 않아요."

"그 부류 중에 에이코 씨가 속해 있나요?"

"글쎄요. 설명하기 어렵네요. 간단히 말하면, 저를 오해할 가능성이 있는 사람이 저를 관찰하게 하고 싶지 않다고나 할까요?" 준이치는 눈을 동그랗게 떴다. "이렇게 말하면 너무 추상적인가요? 소위 교육계에 종사하는 인물들이 그렇죠."

"아, 알겠어요. 위선자hypocrites들을 말하는 거죠."

오무라는 다시 웃었다. "그건 너무 심하잖아요. 저도 그 정도로 교육자들을 나쁘게 생각하는 건 아니지만 사람을 틀에 가두려는 버릇이 있어서 누구든 그 틀에 가두려 들거든요."

그런 이야기를 하며 두 사람은 공원 입구로 들어섰다. 상록수 사이사이로 잎이 노랗게 물든 잡목이 섞여 있는 초목이 보이는 양쪽 기둥 문에 오미야 공원이라는 큼지막한 글씨가 쓰인 낡은 나무 팻말이 걸려 있다.

낙엽이 흩어져 있는 넓은 길에는 지나는 사람이 하나도 없었다. 과연 오무라가 산책하러 올 법한 곳이라고 준이치는 생각했다. 그런데 어디선가 희미한 샤미센 소리가 들렸다. 준이치가 말했다.

"아까 말했던 바이닝거는 여성을 어떻게 보죠?"

"여성이요? 아주 특이하죠. 어쨌든 여자는 창녀와 어머니 유형밖에 없대요. 간단히 말하면 창녀와 어머니라고나 할까요. 그런 주장에 따르면, 돈을 내고 배우들과 놀아나 『도쿄신문』 혹은 『무메이쓰신』 같은 평론지의 비판을 받는 부인들은, 그게 사실이라면, 제아무리 신분이 높고 아무리 부자 아버지와 남편을 뒀어도 죄다 창녀죠. 게이샤라는 단어를 세계의 사전에 제공한 일본에서 창녀의 유형이 발달해 있다는 건 이상한 일도 아니죠. 애를 둘만 낳아서 점점 인구가 줄기 시작한 프랑스에서는 창녀 유형이 많다는 사실을 보여줄 뿐이에요. 그러니까 그런 성격의 여자는 반사회적이죠. 다행인 건 다른 한쪽에는 어머니 유형이 있어서 이 유형도 영원히 사라지지 않는다는 거예요. 어머니 유형의 여자는 아이를 원하고 어머니로서 아이만 사랑하는 건 아니에요. 어릴 때부터 강아지나 고양이, 아기 새조차 어머니로서 사랑하죠. 시집을 가면 남편도 어머니로서 사랑해요. 인류가 계속해서 살아남으려면 이런 유형의 어머니가 공이 크죠. 그러니까 국가가 현모양처주의로 여자를 교육하는 건 너무 당연해요. 조련사가 말을 키울 때 달리기를 가르치지 않아도 되는 것처럼, 창녀 유형에게는 특별히 교육의 필요가 없을 테니까요."

"그럼, 여자가 독립적으로 다양한 직업을 갖게 된 풍조에 대해서는 어떻게 생각해요?"

"그건 M 〉 W인 여자로 보고 그런 여자를 육성하려면 남자들이 들어가는 온갖 학교에 여자가 들어가는 걸 거부하지 못하게 하면 되겠죠."

"그렇군요. 그럼, 사랑은 어떨까요? 어머니 유형의 여자를 대상으로 삼으면 만족스러운 사랑은 할 수 없을 테고, 창녀 유형의 여성을 대상으로 삼으면 그건 타락이 아닐까요?"

"맞아요. 그러니까 앞으로 사랑을 바라는 당신에게는 바이닝거의 주장이 잔혹하기 그지없겠죠. 여자에겐 사랑이란 감정이 없어요. 창녀 유형에게는 색욕이 있어요. 어머니 유형에게는 번식욕이 있을 뿐이죠. 사랑의 대상이란 건 죄다 남자들이 만들어 낸 환상이래요. 그것이 바이닝거에게는 굉장히 심각한 이야기라서 그 사람이 자살한 근본적 원인도 거기에 있는 것 같아요."

"그렇군요." 준이치는 잠시 아무 말도 하지 않았다. 사카이 부인이 창녀 유형의 대표로서 그의 머릿속에 떠올랐다. 끈질긴 해파리polype의 촉수에 무의미한 먹잇감이 된 자신이 사로잡힌 것 같은 기분이 들어 견딜 수 없이 불쾌해졌다. 그리고 이렇게 말했다.

"그런 생각을 하면 염세주의가 되어버려요."

"맞아요. 바이닝거의 족적을 밟아 나가면 결국 염세주의를 피할 수 없죠. 하지만 사랑이라는 개념 속에는 인생의 취기가 내포되어 있어요. 도취Ivresse를 내포한 아편이나 해시시 같은 거죠. 아편은 중국조차 공공연히 금지하고 있지만 인류가 술을 마시지 않을지는 의문이에요. 디오니소스는 아폴론의 제재를 받아도 사라지지 않아요. 문제는 어떻게 제재하느냐예요. 어떻게 구속하고 어떻게 속박하느냐에 달린 거죠."

두 사람은 히카와 신사 참배소 근처에 다다랐다. 오른쪽 찻집에서 차를 마시고 가라고 말을 걸자 거의 반사적으로 신사 뒤쪽으로 피했다.

낙엽이 흩뿌려진 골목길 저쪽에 가로수에 둘러싸인 별채 같은 집이 보인다. 샤미센 소리는 그곳에서 들려왔다. 네다섯 명쯤 되는 시끌벅적한 웃음소리와 여자들의 노랫소리가 섞여 있다.

싸구려 샤미센 반주에 맞춰 차마 듣기 거북할 만큼 천박한 노래를 부른다. 마침 해가 조금 기울기 시작해 다행히 장지문이 굳게 닫혀 있어서 그 방탕한 남녀 무리와 얼굴을 마주하지 않아도 되었다. 두 사람은 그 별채를 다시 피했다.

신사 동쪽의 연못가로 나왔다. 갈대발을 빙 둘러 세운 찻집이 있었다.

"좋은 곳이네요." 준이치가 무심코 말했다.

"좋지요." 오무라는 순진하게 뿌듯해하며 의자에 걸터앉았다.

오무라가 담배에 불을 붙이는 동안 준이치는 연못 위를 바라보았다. 불과 두세 칸 앞의 마른 갈대 덤불 속 우뚝 솟은 말뚝 위에 까마귀 한 마리가 앉아 있다. 까맣고 동그란 눈으로 이쪽을 보고는 보랏빛이 감도는 날개를 살짝 움직였지만, 다시 고쳐 앉더니 도망가지 않고 가만히 있다.

오무라가 불쑥 물었다. "아직 아무것도 안 쓰세요?"

"네, 때를 기다리고 있어요." 준이치는 까마귀를 보며 대답했다.

"흔히 작가의 성공을 두고 대박coup을 쳤다고들 하는데, 그건 주사위를 던지는 행위, 그러니까 예술을 도박에 비유한 거죠. 물론 유행 작가, 인기 작가가 되려면 그런 우연한 결과도 있겠지만 검열censure 문제는 차치하더라도 지금처럼 사상을 발표할 길이 열린 시대에는 가치 있는 작품이 안목 있는 사람들에게 인정받지 못할 가능성은 우선 없어요. 그렇다고 서두를 필요는 없지만 사양할 필요도 없죠. 일어서려고 하면 언제든 일어설 수 있으니까요."

"그럴까요?"

"전 그런 문제는 굉장히 낙천적으로 생각해요. 제아무리 광범위하게 신문 잡지를 이용하는 패거리clique라도 유망한 사람은 결국 자립하게 되니까 파벌 자체는 빈 껍질이 되어 자멸할 수밖에 없어요. 그러니 그런 것에 기댄다 한들 아무런 힘이 되지 않을뿐더러 그런 것에 묵살 당하고 욕을 먹는다 한들 상심할 필요도 없어요. 물론 그런 무리에 들어갈 필요도 없고요."

"그래도 상담 상대가 되어줄 선배가 있었으면 해요."

"그야 있으면 좋겠지만 어차피 인연이 있으면 만나기 마련이니 억지로 찾아다닐 필요는 없죠. 소개장의 힘을 빌려 교제가 성사될 일은 일단 없으니까요."

이런 이야기를 하는 사이에 샤미센과 노랫소리가 더 이상 들리지 않았다. 준이치는 시계를 보았다.

"벌써 5시가 넘었네요."

"어쩐지 조금 쌀쌀하다 했어요." 오무라가 자리를 털고 일어났다.

까마귀가 깍깍 울며 숲으로 날아갔다. 그쪽을 바라보니 어느새 엷은 잿빛 구름이 하늘을 뒤덮고 있다.

두 사람은 낙엽길을 잠시 걷다가 상행선 기차에 몸을 실었다.

13

준이치의 일기는 다시 하얀 부분이 늘어났다. 어느새 12월도 절반이 지났다. 드물게 화창한 날씨가 이어져 고향에서 소문으로만 듣던 도쿄의 추위도 아직 체감한 적이 없다.

조지로가 정원에 심었던 국화도 모두 꺾이고 오랫동안 피어 있던 동백꽃도 모두 져버렸다. 이제 색이 있는 것이라곤 상록수에 섞여 낙상홍처럼 빨간 열매를 맺은 나무들이 군데군데 남아 있을 뿐이다.

나카자와 집안의 유키가 너무 오랫동안 보이지 않는다 싶었지만 딱히 묻지도 않고 있는데 어느 날 할머니가 이런 말을 했다. 유키에게 어린 여동생이 있는데 디프테리아에 걸려 대학 병원에 입원했다. 디프테리아는 혈청주사로 나았지만 독소가 남아 신장염을 일으키는 바람에 좀처럼 퇴원하지 못하고 있다. 유키는 수업을 마치면 매일 병문안을 갔다가 밤늦게 돌아온다. 휴일에는 이른 아침부터 장난감을 사 가지고 가서 하루 종일 곁에 붙어 있다는 것이다. "정말이지 그렇게 마음씨 고운 아가씨가 없다니까요." 할머니가 칭찬했다.

얼마 전 준이치는 오래간만에 오이시 로카를 찾아갔다. 그새 하숙집이 고이시가와의 도미자카 언덕 위로 바뀌어 있었다. 준이치는 아직 무엇 하나 제대로 시작하지 못하고 있는 게 부끄러워 혹시나 갑자기 뭘 하고 있느냐고 물으면 어떡하나 걱정하며 갔지만 그런 건 하나도 묻지 않았다. 오히려 아무것도 하지 않는 게 당연하다고 여기는 것처럼 느껴졌다. 마침 들어갔을 때 탁자 위에 원고지를 잔뜩 늘어놓고 뭔가를 쓰고 있던 듯해 "방해가 되신다면 다시 찾아뵙겠습니다" 하고 말하자 "상관없네. 기계적으로 쓰니까 아무 때나 그만두고 아무 때나 계속 쓸 수 있어. 편리한 작품이야"라고 진지한 얼굴로 말했다. 그리고 평소 대답이 짧은 모습과는 딴판으로 당장의 자기 처지를 이야기해주었다. 그 말투가 너무나도 냉정해서 본인은 아무런 고통조차 느끼지 않는 생판 남의 일을 말하는 것처럼 들렸다. 준이치는 금세 그 말이 지금 쓰고 있는 작품과 밀접한 관계가 있음을 알아차렸다. 이야기하면서 사건의 경과를 정리하는 듯했다. 말하는 상대가 누구든 상관없는 느낌이다.

로카가 연재하는 『도쿄신문』은 처음에는 사회 하층민을 독자로 삼아 평이한 내용을 평이한 문체로 썼던 오락적인 기사 위주의 작은 신문으로 출발해 차츰 품격을 높여왔다. 기자와 함께 논조가 여러 번 바뀌었다. 그래도 요새처럼 문예 방면으로 진지하게 활동한 적은 없었다. 그것은 소위 자연주의의 사실상 유일한 기관지가 되면서부터의 일이다. 그런데 사주가 죽고 신문은 자식들 손에 유산으로 넘어갔다. 지금까지 이룬 신문의 발전은 사주가 의식해서 이룬 발전은 아니었다. 새로운 사상을 가진 기자가 우연히 입사한다. 학생 같은 젊은 독자가 우연히 늘어난다. 기자는 자기도 모르게 다수의 새로운 독자들과 영합하게 된다. 이런 상호작용이 어느새가 자연주의 기관지라는 성취를 이루게 한 것이다. 원래 사주는 그것을 방임하고 있었다. 신문은 새로운 사주의 손에 넘어갔다. 소장파 정치인의 강철 같은 팔이 의도적으로 휘둘러졌다. 회사 안 사람들의 이야기로는, 땅딸막한 체구에 파리에서 만든 프록코트를 입고 예리한 눈가에 빤들빤들한 미소를 머금은 새로운 사주 혼다 남작은 유럽 모 대국의 외교단Corps diplomatique에서 단련해 온 사교적 기량을 여지없이 발휘하여 어느 날 밤 당대의 명사들을 죄다 귀족회관 식당에 초청했다. 앞으로 찬조자로서 사회 다방면의 기사를 『도쿄신문』에 기고하게 되었다는 그 명사들은 어떤 사람들이었을까. 제국대학 모든 분과의 일류 교수들이 그 과반수를 차지했다. 신문은 앞으로 아카데믹해질 것이다. 사회적인 사건들은 이른바 고정된 틀을 통해 본 조감도처럼 신문을 장식하겠지. 같은 문제라도 지금까지는 군고구마가 연기를 내며 익어가는 테두리가 까맣게 탄 화로 옆에서 생각한 것이 발표되는 대신에, 이제는 온실 속 열대 꽃그늘에서 유리창 너머로 눈이 보이는 창가에서 생각한 것이 발표되겠지. 그건 상관없다. 그런 신문이 있어도 좋다. 하지만 사원들 중에서 유일하게 귀족회관의 샴페인 잔을 홀짝이지 않았던 로카는 결국 세 번째 수레바퀴처럼 부차적인 존재가 될 것이다. 그런데도 "두고 봐라. 지금 우리 신문은 귀족신문이 될 거다"라고 아무렇지도 않게 말한다.

준이치는 글을 쓰는 데 방해가 되면 안 된다고 생각해 적당히 인사를 하고 나와 도미자카 위에 자리한 하숙집을 나왔다. 그리고 돌아오는 길에 생각했다. 『도쿄신문』이 오무라가 말하는 작은 패거리를 형성하여 편파적인 비평을 한 건 바깥에서 보더라도 그리 좋게 보이지 않았다. 하지만 어쨌든 주장은 있었다. 특색이 있었다. 짐작해 보건대 신문사가 로카를 추대한 건 아닐 테니 로카의 사상이 자연스럽게 전체적인 논조를 지배하게 되어 그 특색이 생겨난 것이리라. 그런데 사주가 바뀌어 그 논조가 사회에 해를 끼친다고 인정했다고 치자. 일반 독자들을 미성년자 취급하면서 그렇게 인정한 것은 어쩔 수 없다. 다만 놀라운 건 신문을 아카데믹하게 만들어서 그 폐해를 없애려고 한 점이다. 그건 반동에 지나지 않는다. 억압일 수도 있다. 왜 사상의 자유를 얼마간 용인하고서 교정하려고는 하지 않는가. 로카의 입장에서 보면 그 점은 불만스러울 수밖에 없을 것이다. 그 불만은 대놓고 적나라하게 분노로 표출되든가 녹청색 녹처럼 냉소로서 표출되어야 한다. 로카는 어떤 글을 쓸까. 아니다. 역시 언제 어떤 일을 당하더라도 굴절되지 않는 라듐 광선 같은 문장으로 자기와는 전혀 상관없다는 듯이 써 놓고서 "아, 내 머릿속에는 아무것도 없어"라고 말하겠지. 지금 문단은 넋두리와 푸념 외에는 역학적인 반응을 볼 수 없을 만큼 위축되어 있지만 그렇게 하면 아무런 반감을 불러일으키지 않을 것이다. 준이치는 이런 생각을 하면서 사스가야 거리를 걸어서 돌아갔다.

14

12월도 얼마 남지 않았다. 지난달 중순부터 40일이 흘렀지만, 그 사이에 비가 온 기억이 없다. 준이치는 산책도 지겨워져서 자연히 집에서 책을 읽는 날이 많아졌다. 그런 날이 이삼일 계속되니 머리가 무겁고 속이 울렁거리고 입맛이 없었다. 그럴 때면 산사키초의 상가가 가게를 닫고 널문을 내릴 무렵 훌쩍 밖으로 나가 인적이 드문 우에노 산을 따각따각 나막신 소리를 내며 걸은 적도 있다.

그런 어느 날 밤의 일이다. 두 대사를 모신 사당 옆을 돌아 석등이 무수히 늘어선 곳을 지나니 어느새 우구이스자카 언덕 위로 나왔다. 마침 아오모리선 상행선 막차가 언덕 밑을 지나고 있었다. 죽은 도시의 변두리에 유곽 요시와라의 등불이 자욱한 안개 속에서 환영처럼 표류하고 있었다. 한동안 서서 바라보고 있자니 공원에서 11시를 알리는 종소리가 울렸다. 순사 한 사람이 네기시 쪽에서 올라와 준이치를 손전등으로 비춰 보더니 잠시 우두커니 서 있다가 사당 쪽으로 갔다.

준이치의 시선은 네기시 인가의 검은 지붕 위를 더듬고 있었다. 언덕 양쪽의 관목과 사당 뒤의 숲에 가려져 네기시는 거의 보이지 않았다.

사카이 부인의 집은 어디쯤일까, 문득 궁금해졌다. 그러자 따뜻한 피가 끓어올라 차가워진 귀와 코, 손발 끝까지 넘쳐흐르는 것 같았다.

사카이 부인을 보러 간 지 어느새 20일 정도 지났다. 준이치는 집에 앉아 있을 때나 밖을 돌아다닐 때나 종종 부인의 얼굴이 떠오르곤 했다. 지금까지 막연한 대상을 동경하던 데 비하면 이 망상의 장난은 횟수도 잦았고 광채도 짙어 준이치는 여태껏 몰랐던 고통을 느꼈다.

온몸을 감싸는 자욱한 안개가 옷깃과 소매, 입으로 오소소 스며드는 듯한 밤인데도 준이치의 피부는 뜨겁게 달아올랐다. 무시무시한 '맹목적인 충동'이 이성의 빛을 뒤덮고 준이치에게 이런 생각을 하게 했다. 지금 한달음에 달려가 그 집 초인종을 눌러 보고 싶다. 내가 언덕 위에서 이런 생각을 하는 것처럼 그 부인도 은은한 전등불 아래 하얀 이불 속에서 나를 생각하고 있지나 않을까.

준이치는 갑자기 피부에 소름이 돋는 걸 느꼈다. 그리고 순간적인 망상이 몹시도 부끄러워졌다.

멍청한 놈. 나는 얼마나 모자란 인간인가. 극장에서 처음 만나 딱 한 번 보러 갔을 뿐이지 않은가. 내가 여러 사람 중 한 사람에 불과하다는 사실은 의심할 여지가 없다. 내가 거리를 두면 저쪽은 엽서 한 장도 보내지 않을 것이다. 20일이라는 긴 시간 동안 나는 기다리지 않겠다, 기다리고 싶지 않다고 생각하면서도 의지와는 반대로 편지를 기다렸다. 그런데 그게 다 부질없지 않은가. 준이치는 발밑에 있던 돌멩이를 나막신으로 걷어찼다. 돌은 관목 사이를 뚫고 벼랑 밑으로 굴러떨어졌다. 준이치는 지팡이를 휘두르며 집으로 향했다.

준이치가 밤에 우에노 산을 걸었던 이튿날은 12월 22일이었다. 아침엔 맑았던 하늘이 오후에는 약간 흐려졌다. 읽다 만 잡지를 내려놓고 준이치는 굳게 닫힌 장지문을 멍하니 바라보고 있었다. 언젠가 라신을 읽으려고 했는데 아직 하나도 읽지 않았다는 생각이 문득 들면서 떨쳐내려 하는 이의 얼굴이 얄궂게 머릿속에 떠오른다. "언제든 또 빌리러 오세요. 미리 일러둘 테니 제가 없어도 편하게 오셔서 빌려 가셔도 돼요"라고 사카이 부인은 말했다. 그 권리를 이쪽은 아직 한 번도 이용하지 않고 있다. 기다리지 않으려고 경계하면서도 엽서라도 오지 않을까 내심 기다렸지만 그건 앞뒤가 뒤바뀐 생각일지도 모른다. 이쪽에서 먼저 찾아가야 한다. 그렇게 하지 않는 동안 저쪽에서 거리를 두는 건 그 부인이 조심스럽고 경박하지frivole 않다는 증거가 아닐까. 아니면 일부러 풀어주고는 오히려 확실히 사로잡으려는 수법일지도 모른다. 만약 그렇다면 그 수법은 나에게 효과가 있는 것 같다. 조신하고 얌전한 사람이 아니라는 건 이미 경험한 바다. 결국 잔을 기울여 단숨에 마시게 하지 않고 목마를 때 한 방울로 간신히 목을 축이게 하는 속셈인 게 틀림없다. 준이치가 이런 생각을 할 때면 공상은 서서히 망상으로 치닫는 것이었다.

그때 조용히 징검돌을 밟는 소리가 들렸다.

"계세요." 여자 목소리다.

준이치는 흠칫 놀랐다. 탁자 앞에 앉아 있으니 누가 장지문을 열어도 상관없었지만 여태 하고 있던 생각에 괜히 뜨끔해져 얼른 자세를 고쳐 앉아야 할 것만 같았다.

"누구세요?"라고 말하며 안에서 장지문을 열었다.

쌩긋 웃으며 서 있는 사람은 유키였다. 오늘은 챙머리 끄트머리를 세 갈래로 땋아 내리고 있었다. 길고 숱 많은 머리카락을 땋을 수 있는 만큼 땋아 그 끝에 예전처럼 크림색 리본을 달았다. 노란 줄무늬의 수수한 명주 기모노가 줄곧 입고 있던 옷과 같은 옷인지 다른 옷인지 준이치는 구분하지 못했다. 다만 하오리는 오글쪼글한 진보라색이어서 평소 입던 옷과는 다르다는 건 알았다.

"좀 앉으시겠어요? 아니면 추우니 안으로 들어오세요. 동생분이 아프셨다죠? 이제 다 나았습니까?" 준이치는 지금까지 유키에게 말을 걸 때 불편한데도 억지로 말하려고 애쓰는 느낌이었지만 오늘은 왠지 어색함이 덜한 것 같다. 그렇다고 완전히 없어진 건 아니지만 덜한 것만은 확실했다.

"알고 계셨네요. 할머니한테 들으셨죠? 신장은 어차피 금방 낫지 않는다길래 어제 퇴원했어요. 벌써 열흘이나 할머니랑 야스도 만나지 못해서 저는 당신이 어디 다른 데로 이사 가버린 줄 알았어요." 이렇게 말하며 천천히 툇마루에 걸터앉았다. 한동안 오지 않았기 때문에 조금 조심하는 듯했는데 평소보다 예의 바른 모습이다.

"왜 그렇게 생각했죠?"

"왜 그랬을까요." 무의미하게 말하더니 잠시 후 "그냥 그렇게 생각했어요" 하고 불쑥 덧붙였다.

구름 사이로 기울기 시작한 햇살이 비치며 대나무 울타리 너머에 있는 편백나무의 그림자를 툇마루 위로 드리우는가 싶더니 구름이 움직이는 바람에 사라져버렸다.

"제가 이러고 있으면 감기 걸리실 것 같네요." 가느다란 손가락으로 툇마루를 살짝 짚더니 일어서려고 한다.

"문 닫고 들어오세요."

"괜찮아요?" 유키는 대답을 기다리지도 않고 조리를 벗고 들어왔다.

장지문이 꽤 잘 어울리는 이 두 사람을 좁은 공간에 가두고 외부와 단절시켰다. 하지만 이런 일은 처음이 아니다. 지금까지도 종종 있었고 그때마다 준이치는 가슴이 두근거렸다.

"그림이 있죠? 잠깐 볼게요."

유키는 준이치와 나란히 앉아서 탁자 위에 있던 서양 잡지를 넘겼다.

오글쪼글한 하오리 옷자락이 준이치가 얼른 내놓은 방석 위로 겹겹이 자연스러운 주름을 이루었고 그 위로 탐스럽게 땋아 내린 짙은 갈색 머리카락이 무겁게 늘어져 있다.

뺨에서 턱으로, 귀밑에서 목덜미를 따라 만지면 손가락에 가벼운 저항감을 주며 쏙 들어갈 것만 같은 연홍색 피부와 페이지를 넘기는 잘 도려낸 듯이 잘록한 손가락 마디마디에 준이치의 불안한 눈길이 오간다.

풍경화 같은 건 아무리 아름다운 색으로 찍어냈더라도 유키의 주의를 끌지 않았다. 인물이 아니면 흥미가 없는 것이다. 풍경화 속의 작은 점 같은 인물을 가리키며 묻는다. "이건 어떤 상황이죠?" 이런 식으로 준이치가 그림을 설명하게 했다.

소매와 소매가 맞닿는다. 무슨 화장품 향과 함께 건강한 여자의 피부 내음이 났다. 어떤 그림을 보더니 갑자기 "어머, 예쁘다" 하며 몸을 과장되게 흔드는 바람에 허리 쪽이 맞닿으면서 준이치는 탄탄하고 묵직한 저항을 느꼈다.

그것을 느끼자마자 준이치는 자기도 모르게 거의 반사적으로 벌떡 일어나 멀찌감치 치워둔 화로 곁으로 가 부섯가락을 손에 들고 말했다. "아, 불이 꺼지겠네요. 불을 좀 키울게요.”

“저는 별로 안 추워요.” 아주 평온한 말투였다. 왜 준이치가 자리를 옮겼는지 전혀 모르는 눈치다.

“이렇게 큰 모자도 있네요.” 불씨를 이리저리 뒤적이며 흘끗 쳐다보니 잡지 마지막 장에 있는 부인복 광고를 두고 하는 소리다.

“그런 게 유행인가 봐요. 여기 와 있는 여자들 중에서도 아주 큰 모자를 쓴 여자도 이미 있어요.”

유키는 잡지를 다 보았다. 그러더니 양손으로 턱을 괴고는 거리낌 없이 준이치의 얼굴을 바라보며 말했다.

“당신을 만나면 하고 싶은 말이 많았는데, 어찌 된 일인지 전부 잊어버렸어요.”

“병원 얘기 아닌가요?”

“맞아요, 그것도 있죠.” 병원 이야기가 시작되었다. 의사는 1, 2주는 지나야 한다고 했는데 동생은 입원한 날부터 매일 같이 집에 가고 싶다는 말만 했다. 매일 같이 새로운 희망을 걸었고 매일 같이 그 희망이 덧없이 사라졌다. 그게 정말 안쓰러웠다고 유키는 사뭇 가슴에 맺힌 듯이 말했다. 그리고 병문안을 갔다가 돌아갈라치면 우는 통에 결국 푹 잠이 들 때까지 곁에 있어 주었다는 둥, 동생하고 왜 금세 친해졌는지 알 수 없는 간호사가 오래 지내고 보니 역시 정말 좋은 사람이었다는 둥, 어떤 뚱뚱한 의사가 회진 때 유키가 있으면 어김없이 빰을 콕 찔렀다는 둥 온갖 이야기를 늘어놓았다.

이야기를 들으면서 준이치는 유키의 얼굴을 보고 있다. 마치 희미한 바람이 지름 30센티 정도의 수반 위를 스치듯이 귀여운 얼굴에는 끊임없이 섬세한 표정의 파도가 일었다. 유키가 지금까지 몇 번이나 놀러 왔는지 모르겠지만, 줄곧 준이치가 이 아가씨의 얼굴을 본다기보다는 오히려 이 아가씨가 자기 얼굴을 보고 있었다. 그런데 오늘 처음으로 상대의 얼굴을 제대로 보고 있다.

그리고 준이치는 느꼈다. 유키는 준이치가 자기를 보고 있다는 걸 의식하고 있다고. 그것은 당연한 일인데도 준이치는 그렇게 생각한 순간, 뭔가 대단한 발견이라도 한 것 같은 기분이 들었다. 왜냐하면 이 아가씨가 남이 보도록 내버려 두는 심정은 동시에 남이 하는 대로 내버려 두는 심정이라고 느꼈기 때문이다. 남이 하는 대로 내버려 둔다는 말로는 충분치가 않다. 남이 하기를 기다린다, 남이 하기를 재촉한다고 해도 될 것 같다. 하지만 내가 한 발 다가가면 상대도 한 발 다가와 줄까. 아니면 한 발 물러날까. 그것도 아니면 수세를 취하며 버틸 것인가. 그건 나로서는 알 수가 없다. 그리고 아마도 그녀도 알 수 없으리라. 어쨌든 그에게는 강한 지식욕이 있다. 그것이 그를 기다리는 듯하면서도 재촉하는 듯한 태도로 나오게 하는 것이다.

준이치는 이렇게 생각하면서 동시에 이 아가씨를 어떤 깨지기 쉬운 것, 부서지기 쉬운 것, 위태로운 것으로서 보호

해야 할 것만 같은 기분이 들었다. 지금 자기 입장에 있는 이가 자신이 아니었다면 유키는 분명 대단히 위험했을 것이다. 그리고 유키가 이 방에 들어왔을 때부터 자기 몸에 감돌던 불안하고 충동적인 느낌이 모두 떨쳐낸 듯 사라져 버렸다.

화로의 재를 고르는 준이치에게 이렇게 갑자기 돌아온 차가운 이성은 신기하게도 유키에게 통했다. 꿈속에서 하는 일은 아무런 제약도 없이 자유로운 것과 마찬가지다. 그리고 순수한 아가씨이니 아쉽다는 마음과 함께 바로 포기하려는 마음이 든다.

"다음에 또 놀러 올게요." 뭔가 잘못을 사과하듯 말하더니 자리에서 일어났다.

"네, 또 놀러 오세요." 준이치는 갚지 못한 빚이 있는 듯한 기분이 들어 평소보다 다정한 말투로 인사를 건네며 묵직하게 흔들리는 땋은 머리의 뒷모습을 바라보았다.

그날 오후였다. 준이치는 서둘러 준비를 마치고 하쓰네초의 집을 나섰다. 어째서인지 집을 나서기 전에 거울을 한참 들여다보았다. 그리고 집을 나설 때 손에는 라신의 문집을 들고 있었다.

15

준이치 일기의 단편

치욕을 말하는 페이지를 일기에 담고 싶지 않다. 하지만 사실 어찌할 도리가 없다.

나는 방을 나설 때 라신의 책 한 권을 손에 들고 생각했다. 책을 들고 산책하러 나가는 일은 지금까지도 더러 있었다. 오늘은 라신을 들고 나간다. 이 책이 다른 책과 다른 점은 나에게 사카이 부인의 집에 갈 수 있는 여지possibilité를 주었다는 것이다. 가든 안 가든 그 자유는 아직 있다고 생각했다.

이런 생각은 스스로를 기만하는 것이다.

사실 아주 오래전부터 어떤 갈망으로 인한 불안감이 점점 커졌다. 나는 최대한 그것을 떨쳐내려 했다. 하지만 떨쳐내도 다시 찾아왔다. 적과 대치 중인 와중에 작은 전투가 계속되는 느낌이었다.

오무라는 이런 갈망을 억제하는 것이 건강을 해치지는 않는다고 했다. 그럴지도 모르지만 나는 그 번거로움을 거의 견딜 수 없을 지경이었다. 그리고 어떤 때는 이런 짜증스러운 생활은 인간의 존엄dignité을 해친다는 생각조차 했다.

오무라는 과민한 유전자를 가진 사람은 그것을 억제할 수 없고 그것을 억지로 억제하면 병에 걸린다고 말했다. 나는 그 말을 떠올리며 내 신경계에 그런 유전자가 있을 거라는 생각조차 했다. 그러나 그럴 리가 없다. 내 부모님은 건강하셨지만 전염병으로 한꺼번에 돌아가셨다.

내 자제력의 한 귀퉁이를 허문 이는 오래간만에 찾아온 유키 씨였다.

유키 씨와 나란히 앉았을 때 자연이 내게 던진 올가미가 머리 바로 위를 스치는 것이 보였다.

유키 씨도 그 올가미를 분명 보았을 것이다. 하지만 그것을 피하려 한 건 내 쪽이었다.

그리고 나는 그것을 피하는 것이 현명하다고 여기고 유키 씨를 깔보았다.

그때 나는 내 자제력을 찬미하면서 내 자제력의 한 귀퉁이가 허물어지고 있음을 깨닫지 못했다. 나는 한번 묶이면 끊기 힘든 질기고 단단한 올가미를 피하고, 포박당하더라도 쉽게 풀 수 있는 무르고 약한 올가미에 대한 경계심을 늦추어버렸다.

무지하고 가련한 유키 씨는 감히 이런 파괴, 이런 해이를 저지르고도 스스로 깨닫지 못하리라.

만약 유키 씨가 오지 않았더라면 나는 방을 나설 때 라신을 들고 나가지 않았을 것이다.

나는 라신을 손에 들고 정처 없이 우에노 산을 이리저리 돌아다니다가 불안감이 차츰 커지고 맥박이 빨라짐을 느꼈다. 마치 취기가 도는 느낌이었다.

공원 입구까지 와서 무심코 시끌벅적한 큰길의 노을을 바라보고 있을 때 나는 열병을 앓는 것처럼 정신이 아득해지면서 다리가 몸의 무게를 감당하지 못할 지경에 이르렀다.

아무 생각 없이 발걸음을 돌려 시노바즈벤텐도 절로 내려가는 돌계단 위에 올라 다시 우뚝 멈추어 섰다. 빈 벤치에 걸터앉아 라신을 펼쳐 보았지만, 어느새 어둑어둑해져서 읽을 수가 없다. 무의미하게 페이지를 넘기며 제목같이 큰 글씨만 골라 페드르 같은 제목을 보고는 멍하니 생각에 잠겼다.

문득 정신을 차려보니 돌계단 옆에 있는 가로등에 불이 켜져 있다. 묘하게 크고 기분 나쁜 노란색 가로등이다. 설마 저런 색의 색유리는 아니겠지. 다음에 지나갈 때 잘 봐둬야겠다.

인간의 심리는 참으로 이상하다. 나는 그 불빛을 보고 네기시에 가기로 결심했다. 그리고 불이 켜진 것과 결심 사이에 무슨 밀접한 관계라도 있는 것처럼 느꼈다. 인간은 주저하고 망설이면서도 무언가를 할 때면 그 행위의 동기를 주위에 있는 물건에 귀착시키는 것 같다.

네기시를 향하기 시작하면서부터 나는 성큼성큼 걸었다. 발걸음이 점점 빨라졌다. 그리고 낯익은 생울타리와 문이 보일 때까지도 상대방이 어떻게 생각할지 신경 쓰며 발걸음을 늦추는 일은 없었다. 그 부인이 어떻게 맞이해 줄지 궁금하긴 했지만 어떻게 맞이하든 이쪽이 곤란할 거란 생각은 하지 않았다.

대문 문패 위에 작은 불이 켜져 있고 자그마한 쪽문을 밀어 보니 잠겨 있지 않았다. 쪽문으로 들어가 문간의 초인종을 누르자 가슴이 두근거렸다. 그것은 부인을 어려워해서가 아니라 상황 때문이었다. 언젠가 봤던 하녀 외에 다른 고용인이 있는지 모르겠지만 이미 날이 저물어 안면이 없는 사람이 나오겠거니 했다. 그런데 초인종이 울리자 곧장 그 하녀가 나왔다. 부인이 시즈에라고 불렀던가. 대대로 전해져 내려온 하녀의 이름일지도 모른다. 정문 현관에 손님이 오면 다른 하녀가 거의 나오지 않는 모양이다.

초인종 소리에 불을 켠 모양인지 현관 옆 격자 창살문 유리에 불빛이 비쳤다.

내 얼굴을 보고는 "어머, 잠깐만요. 여쭙고 올게요"라고 말하며 총총히 물러갔다. 그냥 들어와도 된다고 했지만 그럴 순 없었다. 안에 들어갔는가 싶더니 금세 나와 "응접실은 난로에 불을 지펴 놓지 않았으니 이쪽으로 오세요" 하고 말하며 빨간 끈이 달린 실내화를 가지런히 내밀었다.

복도를 두세 번 꺾었다. 복도 모퉁이에만 불이 켜져 있고 방은 죄다 캄캄하고 적막이 감돌았다.

시즈에의 가벼운 발소리와 내 무거운 발소리만 울려 퍼졌다. 짧은 순간이지만 꿈을 꾸는 듯한, 이야기 속에 나오는 한 장면 같았다.

막다른 곳에 모란과 공작이 그려진 테두리에 칠을 한 삼나무 문이 있다. 실내화를 벗고 들어가니 안과 밖이 장지문으로 되어 있고 안쪽 장지문에서 빛이 새어 나오고 있었다. 고향 집에 옛날 영주가 머물던 다다미방이 있는데 그 방이 이런 구조로 되어 있다. 뭐라고 부르는지는 모르겠다. 일단 서원 건축 양식*의 콜로네이드라고 하겠다. 생전에 선생님은 무사 양식을 꽤나 좋아했던 것 같다.

시즈에가 허리를 굽히고 안쪽의 장지문 하나를 열었다. 방에는 희미한 전등불 하나만 켜져 있었다. 아무것도 걸려 있지 않은 큼직한 옷걸이 하나가 눈에 들어왔다. 시즈에는 당지를 바른 장지문 문가에서 무릎을 꿇고 "오셨습니다"라고 아뢰더니 조금 사이를 두고서 문을 열었다.

나는 마침내 부인을 마주했다. 이 세 번째 만남은 내가 누누이 실행하지 않겠다며 훗날로 미루어 왔지만 결국 실행하고 만 것이다. 더구나 내가 주동자가 되어.

* 관리나 무사의 주택에 채택된 일본 고유의 건축 양식.

"어서 오세요. 굉장히 오래간만이네요." 부인은 그렇게 말하며 무늬가 들쑥날쑥한 담홍색 이불을 덮어씌운 간이 고타쓰를 옆으로 밀어내고 오동나무로 된 원형 화로의 불씨를 일으키더니 방 한가운데에 깔린 아가씨들이나 앉을 법한 오글쪼글한 보라색 명주 방석을 앞으로 내밀었다. 고타쓰 옆에는 덴가이의 『초자보시長者星』가 펼쳐진 채 엎어져 있었다.

나는 부인의 태도에서 의외의 진중함과 의외의 차분함을 느꼈다. 다만 예전의 그 수수께끼 같은 눈 속에 어렴풋한 미소의 흔적이 감돌 뿐이다. 부인이 어떤 태도로 나를 대할지 나는 정확히 예상할 수 없었다. 하지만 지금의 태도가 의외인 것만큼은 금세 느낄 수 있었다. 그리고 어딘지 아쉬운 마음과 반항심이 내 의식 깊은 곳에서 싹텄다. 내가 부인을 '적'으로 보기 시작한 건 아마도 이 순간이 처음인 것 같다.

부인은 손님이 올 걸 예상이라도 하고 있었다는 듯 머리카락 한 올 흐트러짐이 없었다. 이번만큼은 나도 부인의 옷차림을 똑똑히 기억한다. 하오리는 한 번도 본 적이 없는 노란기가 많은 초록색의 조글조글한 명주다. 고급 명주 솜옷은 밝은 갈색에 잘잘한 검은 체크무늬가 들어가 있다. 허리띠는 은은한 은색이 감도는 당초문이 드문드문 그려져 있고 연분홍색 오비아게*가 유난히 요염하고 젊어 보였다.

나는 살짝 양심의 가책을 느끼며 끝까지 읽지도 않은 라신을 돌려주었다. 부인은 책을 딱히 보거나 확인하지도 않고 말했다. "가실 때 얼마든지 다른 책도 가져가세요."

아까부터 있던 화로와 똑같은 오동나무 화로가 나오고 차와 과자가 나온다. 시즈에는 조용히 들어왔다가 조용히 물러갔다. 방 안은 쥐 죽은 듯이 조용해서 대화가 끊기면 내쉬는 숨소리조차 들릴 정도였다. 이중으로 닫힌 출입문 밖은 바람 소리도 들리지 않아 기차가 기적을 울리며 지나갈 때만 바깥세상의 소식이 전해지는 느낌이었다.

부인은 내가 되돌려 준 화로 하나를 돌아보지도 않고 놀랄 만큼 손가락 끝이 가늘고 투명한 왼손을 담홍색 고타쓰 이불 위에 얹고서 약간 신경질적으로 손가락을 펼쳤다 오므렸다 하면서 눈을 크게 뜨고 내 얼굴을 지그시 보며 "담배는 안 피우세요?"라든가, "요즘 뭘 하고 지내세요?"라는 무의미한 질문을 던졌다. 나도 애써 무의미한 대답을 했다. 나는 뭐라 대답하면서 무심코 부인의 얼굴과 유키 씨의 얼굴을 비교했다.

정말 다르구나. 빠르게 흐르는 피가 모세혈관 속을 달리듯 통통하고 탱탱한 유키 씨의 얼굴에는 표정 변화가 끊길 틈이 없다. 시시한 대화를 나눌 뿐인데도 일일이 대꾸하고 표정 근육 하나하나가 미세하게 움직인다. 순수한Naif 소

* 기모노의 허리띠가 흘러내리지 않게 묶는 천.

곡에 섬세한sensible 반주가 있다.

그에 비해 창백하고 반듯한 그리스풍의 부인 얼굴은 거의 마스크이다. 가면이다. 표정의 흔적을 억지로 더듬는 촉각은 더듬고 더듬다가 언제나 커다란 다갈색 눈동자에 도달하여 거기서 멈춘다. 그 속에 뭔가가 있다. 그것이 있기에 부인의 얼굴에는 당장에라도 천둥 번개가 내리치기 직전의 여름 하늘 같은 갑갑함이 있다. 맹금류나 맹수가 먹잇감을 노리는 눈이라고 말하고 싶지만 그렇게 사납지는 않다. 님프가 열대 바다에 있다면 이런 눈을 하고 있을까. 이것이 없었다면 부인의 얼굴은 아름다운 죽은 자의 낯빛mine de mort이라 해도 좋으리라.

그런 느낌을 더욱 강하게 주는 이유는 이 눈에만 있는 유일한 표정이 말과 일치하지 않기 때문이다. 입은 입대로 말하지만 눈은 눈대로 말한다. 수수께끼 같은 눈을 더욱 신비롭게 만들고 그 주인을 스핑크스로 만드는 것이 바로 거기에 있다.

어떤 신학자가 도그마가 말이라고 하자 어떤 다른 신학자가 말은 말지만 '강요된' 말이라고 했다는데, 부인의 눈에 어린 수수께끼에 내가 부여한 해석도 강요된 해석일 것이다.

내가 이 일기를 지금 있는 그대로, 아니면 내용을 고쳐서 세상에 당당히 내놓을 날이 올까? 그건 아직 알 수 없다. 만약 훗날 이것을 읽는 이가 있다면 나는 그에게 말하리라.

"독자여. 나는 그대에게 어떤 불가사의한 고백을 해야만 한다. 그리고 그 고백의 실마리를 지금부터 풀어보겠다."

부인의 눈에 감도는 수수께끼는 전염된다. 그 신비로운 말에 내 눈도 응답해야만 한다.

밤의 정적과 어둠에 지친 우에노 숲을 등에 짊어진 네기시의 집 방 한 칸에서 전등은 은은한 불빛을 발하고, 화로의 불씨가 얇은 비단에 비치는 피부의 빛처럼 하얀 재 밑에서 포근한 온기를 보내올 때 부인과 나는 기차의 좌석과 호텔의 식탁을 우연히 함께하게 된 나그네와 나그네가 되어 서로 말을 섞으며 대화를 나눈다. 만인에게 공개해도 괜찮을 대화다. 처음 만났을 때의 일을 내내 곱씹어 온 내가 결코 예상치 못했던 대화다.

그와 동시에 부인은 그 입에 담는 말 하나하나를 눈으로 부정하며 "당신과 나 사이엔 그런 건 아무래도 상관없어요"라고 말하듯 반어적으로ironiquement 부인하면서 전혀 다른 이야기를 한다. 강력하고 열정적인 설득Une persuasion puissante et chaleureuse이다. 그리고 내 눈은 무참하게 아무런 저항도 하지 못하고 그 이야기에 빨려 들어가 같은 말을 한다.

부인과 나는 두세 자 떨어져서 내 손을 쬐는 화로와 부인이 무심하게 치워둔 화로 두 개가 가운데에 놓여 있다. 그리고 눈은 빨아들이고 영혼은 끌어안는다. 커다란 화염이 두 사람을 덮친다.

난 그 시간이 굉장히 길게 느껴졌다. 그 시간은 고통의 시간이다. 그리고 어느 순간, 지금 고스란히 느끼는 고통을 이 부인을 알게 된 후로는 의식 밑에서 줄곧 희미하게 느끼고 있었다는 깨달음이 번개처럼 지옥의 불길과 연기 속에 허덕이는 내 의식을 스쳐 지나갔다.

그 사이에 고통은 차츰 부인을 적으로 보이게 했다. 시간이 길어질수록 그 느낌은 더욱 커졌다. 만약 내게 강렬한 의지가 있었다면 이때 자리를 박차고 돌아갔을 것이다. 그리고 부인의 하얗고 부드러운 뺨에 따귀를 날리지 않고 돌아온 걸 유감스럽게 여겼을 것이다.

갑자기 이 무런 뚜렷한 동기도 없이 아무런 과도기도 없이. (그다음 일기 한 장이 찢어져 있음)

그때 나는 부인의 눈 속에 어린 미소가 개선가를 연주하듯 웃음으로 변해 있는 것을 보았다. 그리고 한 번 끊긴 무의미하고 어색한 대화가 다시 이어졌다. 부인을 적대시하는 내 감정은 더욱 강해졌다. 부인은 말했다.

"저는 27일에 하코네 후쿠즈미 여관에 가요. 혼자 가니까 시간 되시면 오세요."

"그러시군요. 저는 조금 할 일이 있어서 어떻게 될지 잘 모르겠습니다. 시간이 너무 늦었네요."

"그래도 시간이 되시면 꼭 오세요."

부인이 옆에 있는 명주실을 감은 전선 끝의 버튼을 누르자 멀리서 벨이 울리는 소리가 들렸다. 복도를 걷는 발걸음 소리가 잠시 또렷이 들리더니 옆방까지 온 시즈에가 대답하는 소리가 들렸다. 부르지 않으면 오지 않게끔 일러둔 모양이라고 나는 생각했다.

시즈에는 나를 책장이 있는 서양식 방으로 안내할 것이다. 나는 멍청하게도 빌린 책을 돌려주는 것에 대해서는 온갖 생각을 다 했으면서 다른 책을 빌린다는 생각은 전혀 하지 않았다. 나는 고민할 틈도 없이 구실로 가져온 책을 교환하러 자리에서 일어났다. 패배자의 한심함이 내 가슴에 사무쳤다.

먼저 들어가 불을 켠 시즈에와 함께 나는 서양식 방에 있을 때 의식의 바다가 아직 파도치고 있어서인지 유키 씨와 함께 있을 때보다 더욱 강렬한 초조함과 흥분을 느꼈다. 하지만 이 소녀는 프랑스 소설이나 각본에 나오는 하녀와 달리 얌전하고 다소곳이 입구 옆에 서서 양손을 진홍색에 하얀 반점이 있는 오비아게 위에 얌전히 포개고 있었다. 이럴 때 두려워할 만한 미소도 짓지 않고 몹시 진지하게.

나는 제대로 보지도 않고 라신의 다른 책 한 권을 빼고 가져온 책을 대신 꽂아 넣은 다음 시즈에와 함께 방을 나왔다.

나를 고민에 빠뜨린 저당물이었던 라신의 책 한 권이 여전히 내 손에 남아 있는 것이다. 그리고 이것이 또다시 나를 번뇌에 빠트리겠지.

부인의 방으로 인사하러 가자 부인은 일어나 배웅하러 나왔다. 실내화를 가지런히 놓은 시즈에는 복도 모퉁이에서 모습이 보이지 않게끔 거리를 두고 뒤따라왔다.

“시간 되시면 하코네로 오세요.” 조용하고 느긋한 말투로 부인은 현관 앞에 서서 다시 말했다.

“네.” 나는 부인의 모습을 마지막으로 흘끗 보았다.

머리카락 한 올도 흐트러짐이 없다. 기모노의 옷깃을 단단히 잘 여민 유연한 몸이 뜻밖에도 다시 내 반감을 자극했다. 적은 나를 하코네로 유인하지 않고는 그냥 내버려두지 않겠구나. 나는 속으로 생각하며 오른손에 들고 있던 모자를 눌러쓰고 나왔다.

하늘은 파랗고 맑았다. 짙은 안개가 자욱한 네기시 저지대의 골목길을 걸으며 나는 사카이 부인의 됨됨이를 생각했다. 그때 내 기억의 표면에 다른 것을 물리치고 강력하게 떠오른 이미지는 벨기에 문단의 거장 르모니에가 쓴 오드였다. 여자의 일면을 너무 과장해서 썼다고 생각한 오드 같은 여자도 사카이 부인이 존재하는 이상 결코 없다고 할 수 없다.

치욕의 페이지는 여기서 끝이다.

나는 형편없는 소설 같은 일기를 썼다.

16

12월 25일이 되었다. 예상대로 세토는 별일 없다는 듯 싱글거리며 야나카의 셋집을 찾아와 오늘 밤 가메세이로라는 요정에서 고향 사람이 여는 송년회에 가자고 했다. 준이치는 다카나와의 옛 영주의 저택에 명함만 건네고 되도록 고향 사람들과 어울리고 싶지 않아서 처음엔 거절했다. 그런데도 세토는 끈질겼다. 모임에는 다양한 계층과 직업을 가진 사람들이 오니까 글을 쓰려고 하는 준이치가 분명 흥미롭게 관찰할 점이 있을 거라고 했다. 준이치도 딱히 내일 뭘 할지 정해두지 않았기 때문에 결국 응하고 말았다.

마침 세토가 왔을 때 집주인 조지로의 아내인 야스가 남편의 생일이라 만들어 봤다면서 팥밥을 찬합에 담아 야채조림과 함께 들고 왔다. 딱히 대접할 만한 게 없던 터에 마침 잘됐다 싶어 준이치는 밥공기와 접시를 가져다 달라고 부탁해서 세토에게 음식을 대접했고 야스는 차를 내주었다. 옷깃이 검은색 공단으로 된 포대기 같은 솜옷을 입고 머리를 빗으로 대충 틀어 올린 야스의 모습을 세토는 빤히 쳐다보더니 말했다. “이런 분이 챙겨주는 집이면 나도 세 들고 싶네.” “저는 시골 출신이라 많이 모자라지만 어머니는 워낙 꼼꼼하셔서 고이즈미 씨를 잘 챙겨 드리실 거예요” 하고 겸손하게 답했다.

“모자라다니 무슨 말씀을. 이런 고급 감색 버선을 신은 것만 봐도 능력이 있으신데요.”

“저희 고향에서는 여자도 다 감색 버선을 신어요”라고 설명한다. 시골이라니 신기하다. 부인같이 세련된 여자가 시골 출신이라니 말도 안 된다. 결국 야스는 고향이 조시라고 털어놨다. 더 들어 보니 세토가 사생화를 그리러 답사 여행을 갔을 때 야스의 고향 동네에 머문 적이 있다는 것이었다. 이런저런 이야기를 나눈 후 야스가 돌아가자 세토는 “나는 내일 당장 야나기 다리 홍등가로 간들 소재가 없지만 네가 사는 집은 귀한 소재가 있었네” 하고 능글거렸다. 무슨 소리냐고 물으니 게이샤는 분과 연지가 내는 효과effet를 연구하기에는 좋을지 모르지만 저 부인같이 꾸밈없이 순수한 여자는 없다고 했다. 그러더니 게이샤 중에 미인이 있네 없네 하며 품평을 늘어놓았다. 그리고 결론은 게이샤 중에 미인이 없는 것은 아니지만 죄다 억지로 만들어 낸 표정을 짓고 있어서 게이샤라는 유형type을 연구하는 데 표본이 될 수는 있어도 자연 그대로의 여성을 찾을 수는 없다는 것이었다. 그 '자연 그대로의 여성'은 틀림없이 야스에게서 찾을 수 있을 거라는 세토의 주장에 준이치도 수긍하지 않을 수 없었다. 떠들다 지친 세토가 돌아갔다. 혼자가 된 준이치는 이런 생각을 했다. 나는 정말 편견덩어리다 esprit non préoccupé. 야스가 세토의 천박한frivole 눈에 발견될 때까지 내 눈에는 그저 집주인의 아내로만 보였다. 유부녀로 비쳤다. 그래서 그 의무감이 강한 듯한, 기꺼이 모든 것을 희생할 수 있을 것 같은 성격과 그 성격을 보여주는 충실하고 헌신적인 일반적인 현상에 대해서는 동정심을 갖긴 했지만, 얼굴이 어떻게 생겼는지는 제대로 알지 못했다. 세토의 말을 듣고 나서 그 얼굴을 찬찬히 떠올려 보니 시골 출신에 남의 집 식모로 살다가 화원집 아내가 된 야스가 어딘지 모르게 곱상해 보였다. 혈색은 좋지 않았다. 단정하긴 했지만 머리 모양도 별로 가꾸지 않았다. 그래도 그 동그스름한 얼굴의 눈과 입매에는 복제화로 본 모나리자의 요염함이 있다. 억지로 만들어 낸 게이샤의 표정이 아닌 꾸밈없는 표정을 야스는 가지고 있음에 틀림없다. 생각해보면, 추상적인 논평만큼 쉬운 건 없다. 세토조차 그런 논평은 하지만 메이지 시대의 일반 여성과 게이샤를 쉽게, 심지어 전형적인 표정과 자세로 나타낸 그림은 없는 것 같다. 메이지 시대는 아직도 콩스탕탱 기Constantin Guys* 같은 인물 하나도 배출하

* 프랑스의 화가. 저널리스틱한 소묘 화가로 유명하다.

지 못한 것이다. 나도 인습의 굴레에 얽매이지 않는 눈만이 라도 갖고 싶다. 이대로라면 예술가로서 세상 밖으로 나올 자격이 없다고 준이치는 반성했다. 5시쯤 세토가 같이 가려고 왔다.

"오늘은 야스 씨가 안 보이네." 세토가 음흉하게 웃었다.

"거의 안 와."

준이치는 눈치 없이 고지식하게 대답하며 만약 세토가 왔을 때 유키가 있었다면 얼마나 깐족거렸을까 생각하니 진저리가 났다. 나카자와 부인이 시집갈 때 선물로 장롱을 사주고 곱게 화장까지 해주어, 완전히 딴사람이 되어 집을 나올 때, 줄곧 친구처럼 지내던 야스가 깍듯이 바닥에 엎드려 작별 인사를 하자 묵묵히 지켜보던 유키가 느닷없이 울음을 터뜨리는 바람에 다들 애를 먹었다는 이야기나 그 후로도 나카자와 가문에서는 야스를 여전히 새색시 야스라고 부른다는 이야기가 생각났다.

채비를 마치고 기다리던 준이치는 세토와 함께 집을 나와 우에노 공원의 겨울 수목 사이를 빠져나가 큰길에서 전차를 탔다.

스다초에서 구단료고쿠 전차로 갈아타자 볼품없는 외투를 걸치고 요즘에는 잘 볼 수 없는 중절모를 쓴 주정뱅이처럼 보이는 노인에게 다가가 세토가 꾸벅 인사했다.
"지금 가십니까? 저희도 지금 가려던 참입니다."

세토는 준이치를 곧장 노인에게 소개해주었다. 노인은 Y현 출신 한학자로 다카야마 선생이라는 인물이었다. 미술학교에서는 오카쿠라 교장 재임 시절부터 여러 학자들에게 특강을 부탁해서 강의록을 출판하고 있다. 다카야마 선생도 강의를 하러 왔다가 같은 고향 출신 학생인 세토와 가까워진 것이다.

다카야마 선생은 궁내성宮內省에서 일하고 있다. 한학자로 불교 경전에도 능하다. 등석여鄧石如* 풍의 전서체를 쓰고 한문에 능해 Y현 사람들의 비문도 많이 짓고 있다. 준이치도 이름은 들어 알고 있었다.

잠시 후 전차에 자리가 비기 시작하자 준이치는 세토와 나란히 앉았다.

세토는 준이치에게 귀띔해주었다. "저 선생님, 저래 봬도 굉장히 소탈하고 재밌는 분이야. 한학을 해도 풍류를 아는 호인이지."

준이치는 선생이 넙데데하고 후덕한 에비스 신** 같은 얼굴로 여자에게 치근덕대는 모습을 상상하자 웃음이 터져 나오려는 걸 꾹 참고 시치미를 떼고 있었다.

료고쿠 다리 앞에서 내린 다음 왼쪽으로 돌아 야나기 다리를 건너 다카야마 선생을 따라 가메세이로에 들어갔다.

* 중국 청나라의 서예가.

** 어업과 상업을 관장하는 일본의 전통 신.

선생이 천천히 안으로 들어가자 종업원이 공손히 절을 하며 물었다. "소네 선생님 손님이신가요?"

"그래." 종업원의 안내를 받으며 계단을 오르는 선생의 뒤를 세토가 따라가자 준이치도 그 뒤를 따랐다. 소네는 하쿠분샤라는 출판사의 기자 겸 총무를 맡고 있는 남자로 송년회 간사라고 세토가 일러 주었다. 그 남자의 이름도 준이치는 잡지에서 보고 알고 있었다.

올라가서 맨 첫 번째 방이 모임 장소였는데 벌써부터 많은 사람들이 모여 있었다.

밖은 아직 환한데 방 안에는 불이 켜져 있다. 한쪽 장지문에 끼워진 유리 너머로 스미다 강이 보인다. 비스듬히 보이는 료고쿠 다리 위를 전차가 달리고 있다. 준이치는 들어가자마자 빈 방석을 발견하고 자리에 앉아 회색빛이 감도는 우윳빛 저녁 공기 속에 드문드문 불이 켜지기 시작한 건너편 강가를 바라보았다.

방에서 제일 시끌벅적한 무리가 바둑판을 가운데 두고 빙 둘러앉아 있었다. 당국자라고 하면 요즘 세상에는 조금 무섭게 들리지만, 이곳에서 대국을 펼치는 노인과 젊은 이들은 하나같이 세상 태평스러운 모습이다. 준이치는 장기와 바둑을 두지 않아 바둑을 두는 사람을 보면 그저 시간을 낭비하는 사람으로밖에 생각하지 않았다. 그렇다고 해서 꼭 시간이 어떤 사건에 이용되어야 한다고 주장할 만큼 팍팍한 공리주의자utilitaire는 아니지만, 장기나 도미노가 단시간에 승부가 나는 반면 바둑은 사교적인 유희에 머물러 있는 동안에는 위험한 사상이 만연할 우려가 없을 거라고 젊은 주제에 건방진 생각을 했다. 그래도 바둑을 두는 사람은 그나마 낫다. 그걸 겹겹이 둘러싸고 앉아 구경하는 사람들은 대체 무슨 속인지 모르겠다.

그 옆에 작은 무리가 있었는데 그 중심에 놓인 인물이 아까 전차에서 처음 만난 다카야마 선생이다. 선생은 양손을 화로에 쬐면서 큰 소리로 뭐라 떠들고 있었다. 준이치는 심심해서 그쪽에 귀를 기울였다. 들어 보니 너구리 이야기를 하고 있다.

"정말 우리 때 성당은 지금 대학교 기숙사와 달리 운치가 있었지. 너구리가 나왔으니까. 우리 때는 쭉 복도로 이어져 있고 장지문으로 방을 나눴거든. 그런데 한밤중에 복도에서 작은 발소리가 들린단 말이야. 사람 발소리가 아니야. 그게 방을 하나하나 들여다보면서 지나가는 거야. 안 자고 있으면 그냥 지나가고 자고 있으면 초롱불의 기름을 핥아 먹는 거지. 그래서 초롱불은 청소할 필요가 없어. 복도에 내놓기만 하면 이놈들이 깨끗하게 핥아 주니까. 그건 정말 좋았는데 성당에 너구리가 출몰한다고 소문이 나니까 가짜 너구리가 생긴 거야. 여름에 너무 더워서 잠이 오지 않으면 굵은 실에 삼나무 잎을 달아서 그걸 가지고 담장 위에 올라가서 더위를 식히지. 담장 밑을 지나는 녀석은 날벼락이 따로 없어. 머리랑 뺨이 삼나무 잎 때문에 간지러운 거야. 앗, 너구리다! 하고 도망을 가. 칼을 찬 놈은 칼을 휘두르면서 위를 노려보면서 지나가지. 장난이 심했어. 하지만 그때 학생들이 그런 애들 같은 유치한 짓만 했는가 하면 그렇지도 않아. 담을 타 넘어갔다가 다음 날 날이 새서 담을 타고 돌아온 적도 있지. 사람한테 논어만 읽게 하면 말을 잘 들을 거라 생각하면 큰 오산이야."

너구리 이야기가 엉뚱한 방향으로 흘렀다. 준이치는 놀라서 듣고 있었다.

그때 세토가 와서 물었다. "회비 냈어?" 준이치는 그제야 눈치 채고 세토를 따라 간사가 있는 자리로 갔다.

소네라는 사람은 야무져 보이는 자그마한 사내였다. "학생은 1엔입니다."

준이치는 잠시 고민하다 물었다. "학생이 아니면 얼마죠?"

소네는 별 쓸데없는 걸 묻는다는 표정이었지만 그래도 예의 바르게 답했다. "5엔입니다."

"그래요?" 준이치가 5엔짜리 지폐를 한 장 꺼내는 걸 보더니 뒤에 있던 세토가 놀렸다. "괜히 무리하기는." 소네는 진지한 얼굴로 이름을 묻더니 장부에 기록했다.

그러는 사이에 사람들이 점점 많아져 소네가 들고 있는 장부에 적힌 이름에 대부분 동그라미가 그려졌다.

마지막으로 모 대신이 모습을 드러낸 것을 신호로 옆방 사이에 가로놓인 후스마*가 열렸다.

다다미 몇 장짜리 방인지는 몰라도 굉장히 넓었다. 복도에서 입구까지 두 칸만 비우고 방석이 네모나게 깔려 있다. 중간중간에 화로가 놓여 있다. 저쪽 도코노마[**] 앞에 놓인 방석과 화로가 아주 작아 보였다.

소네가 먼저 대신을 도코노마 앞으로 안내하려고 하자 대신은 자기와 같은 프록코트를 입은 아직 서른 정도밖에 안 된 남자에게 함께 자리에서 일어나자고 권했다. 다만 대신의 옷에는 단춧구멍에 휘장이 끼워져 있었다. 그 남자에게는 그게 없었다. 나중에 들으니 다카나와 후작 가문의 집사가 대리로 출석했다고 한다.

좌석에 따로 이름표를 두지 않아서 여기저기서 자리를 양보하기 시작했다. 서로 웃으며 밀치락달치락하는 사이에 줄곧 사양하던 사내가 억지로 이끌려 상석에 앉기도 했다. 퍽 소란스러웠다.

가까스로 자리가 정해지는 모습을 보고 있으니 옷깃 중간보다 아래쪽에 분과 대학 배지를 단 사람도 있다. 여러 학교의 제복을 입은 사람도 있다. 준이치나 세토와 똑같이 무명 하카마를 입은 사람도 있었다. 이른바 학생들이 예닐곱 명 있는 것이다.

* 두꺼운 헝겊이나 종이를 바른 문으로 방과 방을 구분하는 칸막이 역할을 한다.

** 일본 전통식 방의 상좌에 해당하는 자리에 바닥을 높여 만든 공간으로 벽에 족자를 걸고 꽃과 장식물로 꾸몄다.

이럴 때면 준이치는 마음 편히 맨 뒤에 있다가 끝자리에 앉는데 거긴 간사 자리라며 소네가 옆자리로 보냈다.

쭉 훑어보니 상류층 인사는 비교적 적은 것 같다. 준이치는 소네에게 물어보았다.

“오늘 밤 참석한 사람을 보니 고향에서 도쿄에 온 사람은 소수에 불과한 것 같은데, 대체 어떤 분들이 이번 모임을 연 거죠?”

“소수이고말고요. 원래 젊은 관리들만 참석하는 모임이었는데 여러 사람이 드나들면서 이런저런 사람이 섞이게 되었어요. 지금은 신파극 배우도 와요.”

이런 이야기를 나누는 사이에 종업원이 소반을 나르기 시작했다.

지역은 야나기 다리, 장소는 가메세이로였다. 준이치는 게이샤가 올 거라고 생각했다. 게다가 어제 세토가 한 말로 보아 항상 오는 모양이었다. 그런데 종업원이 소반을 나르는 게 의아했다.

술이 나왔다. 간사가 인사를 했다. 그러던 중에 후작 가문에서 술을 기부했다는 보고가 있었다. 그리고 Y현 출신의 수많은 원로대신 중에 특히 모 대신이 후진을 아껴 이런 모임에 참석해주셔서 감사한다는 말도 나왔다.

얼굴이 크고 벌건 대신이 술을 할짝할짝 마시고 있다. 준이치는 멀리서 그 사람의 건장한 몸을 보고는 과연 세상의 풍파를 이겨내려면 저런 체구가 아니면 안 되겠다고 생각했다. 때때로 주변 사람들과 이야기를 나눈다. 이야기를 나눌 때면 꼭 미소를 지었다. 저것도 사람을 상대하는 방식이겠지. 하지만 대화가 끝나면 미간에 깊은 주름이 새겨진다. 과거 수많은 고난이 새겨진 룬 문자écriture runique*처럼.

국과 회가 거의 비워졌을 무렵, 여기저기서 도코노마 앞으로 술을 청하러 가는 사람이 보였다. 곳곳에서 지인과 지인이 모인다. 서로 소개를 주고받는다. 여기저기서 대화가 무르익는다. "게이샤는 어떻게 된 거야?" 누가 갑자기 소리쳤다. 누군가 웃었다. 누군가가 찬성이라고 외친다. 누군가 쉿 하고 주의를 준다.

이때 준이치의 바로 옆에서 간사를 둘러싸고 열심히 논쟁을 벌이는 사람이 있었다. 들어 보니 게이샤를 부르네 마네 하는 문제를 논하고 있다.

잠시 듣고 있는 사이에 놀랍게도 연회에 게이샤가 필요 있네 없네 하며 언쟁을 벌이는 이들 속에는 이른바 제3의 증인tertium comparationis으로서 아까 그 학생들이 참여하고 있었다. 연회에 게이샤가 필요 없는 건 아니다. 그래도 학생들도 있으니 게이샤가 없는 게 낫다고 게이샤를 반대하는 쪽이 결론을 내린 모양이다. 그러더니 화제는 대체 누가 그런 이야기를 꺼냈느냐는 쪽으로 바뀌었다.

* 고대 게르만인이 사용한 표음문자.

이렇게 큰 소리로 심지어 아이러니한 양쪽 주장을 가만히 진지하게 듣고 있던 소네 간사는 어쩔 수 없이 이렇게 털어놓았다. 이번 송년회를 계획하고 있을 때 어느 날 교육회 직원인 시오다를 만났다. 시오다가 말하길 그 모임에는 학생도 참석하니 게이샤를 부르지 않는 게 좋겠다고 했단다. 그래서 선배 두세 명에게 상의했더니 이의가 없어서 게이샤를 부르지 않기로 했다는 것이다.

"그건 위선이야." 듣고 있던 한 사람이 말했다. "선배도 그런 의견을 들으면 게이샤를 부르고 싶다고 말 못 하겠지. 의견을 낸 사람의 위선이 선배를 어쩔 수 없이 위선자로 만든 거야."

"그야 그럴 수도 있지만 모든 미덕을 위선으로 취급하면 곤란해"라고 또 다른 한 명이 말했다.

"미덕이라고? 게이샤가 정말 싫다면 미덕일 수도 있어. 아니, 또 그렇지 않더라도 마음에 드는 게이샤의 유혹을 진심으로 물리칠 수 있다면 그것도 미덕일지도 모르지. 학생이 없을 때는 게이샤를 부르면서 있을 때는 부를 수 없다니 그런 미덕은 없어."

"원래 세상이 그런 거야. 그걸 미덕으로 삼지 않으면 안 되지."

"웃기는 소리야. 그러면 정말 위선적인 세상이 되어버려."

논쟁의 불꽃이 다시 뜨겁게 달아올랐다. 준이치는 흥미

롭게 듣고 있었다. 뜨겁게 달아오르긴 해도 그것은 불꽃놀이 폭죽이 작렬하는 것과 같다. 왜냐하면 이렇게 논쟁을 벌이는 사람 중에 게이샤가 정말로 싫고 시답지 않다고 생각할 사람은 아무도 없으니까. 하나같이 자기가 원하는 바를 폭로할지 말지, 어느 수위까지 폭로할지를 요리조리 재가면서 말하는 데 불과하다. 그러니까 분명 위선이다. 그럼 위선자 취급하는 남자는 어떤가 하면, 그 역시 자기가 진정한 선을 가지고 있어서 위선을 배척하려는 게 아니다. 그저 폭로다. 천박한, 그래서 가치 없는 냉소주의Cynisme에 불과하다고 준이치는 생각했다.

준이치는 시오다라는 이름도 종종 신문이나 잡지에서 본 적이 있어서 알고 있었다. 어떤 사람인가 궁금해서 소네가 데리고 오길 기다리고 있는데 상상했던 것과는 전혀 다른 남자였다. 새로운 도덕에 기댈 만한 것이 없는 이상 오랜 도덕에 기댈 수밖에 없다, 옛날로 돌아가는 것이 곧 각성이라고 말하는 사람이니 용모도 고리타분한 학자처럼 옹색하고 어딘지 세상을 등진 염세적인misanthrope 데가 있는 줄 알았는데, 사람들에게 이끌려 나온 시오다는 역시 소네와 비슷한 총무처럼 보이는 남자였다. 소네는 체구가 작았지만 시오다는 키가 컸다. 소네는 얼굴이 갸름하고 뾰족했지만 시오다는 아래턱에 살이 두둑하고 수북한 구레나룻을 밝은 자국이 푸르스름하다. 하지만 둘 다 빈틈없는 모습에 굉장히 융통성 있어 보이는 노련한 눈빛이 번뜩였다.

"이런 이야기를 하지 않으면 세상을 살아갈 수 없다. 그러니까 서로 이런 이야기를 하는 것이다. 현실은 그렇게 흘러가지만은 않는다. 그것도 서로 알고 있다"라고 말하는 듯한 표정이 이 남자의 끊임없이 바삐 움직이는 눈 속에 고스란히 드러나 있었다.

"게이샤 말인가요. 제가 딱히 한사코 반대한 건 아닙니다. 학생 여러분도 오시는 자리라 부르지 않는 게 온당하다고 말했을 뿐입니다." 시오다는 처음부터 굽히고 나왔다.

"그럼, 온당치 않다는 그 마음을 참으면 그만 아닌가요?" 위선자를 혐오하는 남자가 노골적으로 나왔다.

논쟁은 금세 마무리되었다. 시오다가 비용을 어떻게 하면 좋을지 말을 꺼내자 일시적으로 중단되었다가 회비가 그다지 궁하지 않은데다가 후작 가문의 기부가 있어서 회비 걱정은 없다면서 소네는 자리에서 일어났다.

네댓 명쯤 떨어진 자리에 앉아 있던 세토가 불쑥 준이치에게 다가와 속삭였다. "나 같은 학생들은 대놓고 무시하네. 아까 말하는 거 들었지?"

준이치가 가만히 미소 짓자 세토는 "하긴, 넌 학생이 아니었지" 하고 덧붙였다.

"놀리지 마. 모르는 사람만 있는 연회라서 딱히 혜택을 받고 싶지 않았을 뿐이야. 이런 모임에 오면 고향 사투리라도 들을 줄 알았더니 다들 도쿄 사람이 다 됐네."

"꼭 그렇지만도 않아. 대신 옆에 가서 들어 봐. 우리 고향 사투리가 많이 들릴 거야."

"뭐, 이래저래 야나기 다리 홍등가의 게이샤는 가까이서 볼 수 있겠네."

"아니야. 이제 불러봤자 변변한 게이샤가 오겠어? 고작해야 한가한 게이샤들뿐이겠지."

"그런가?"

이야기를 주고받고 있는데 소네가 방 한가운데에서 소리쳤다.

"여러분. 대신 각하는 지금 다른 연회에 가보셔야 해서 먼저 일어나시겠습니다. 여러분께 대신 인사 말씀을 전해 달라고 하셨습니다. 아무쪼록 남은 분들께서는 천천히 즐겨 주십시오. 곧 미녀들이 올 겁니다."

곳곳에서 박수 소리가 들렸다. 문득 바라보니 도코노마 앞자리는 비어 있었다.

그때 게이샤 대여섯 명이 들어왔다.

17

이제 자리는 뒤죽박죽 엉켜 있다. 곳곳에서 작게 둘러앉아 이야기를 나누는 무리가 있는가 하면 중간중간에 빈 방석도 있었다. 게이샤들은 한동안 술을 따르다가 뭔가 서로 소곤거리더니 한꺼번에 일어나 샤미센을 들고 나왔다. 그리고 입구 근처에서 도코노마 방향으로 네 명이 한 줄로 나란히 앉아서 샤미센을 연주하며 노래를 부르고, 두 사람은 그 앞에서 춤을 췄다. 시끌벅적한 말소리가 대부분 그쳤다. 개중에는 엄청 진지하게 춤을 감상하는 이도 있다.

아직 준이치의 앞에서 자리를 뜨지 않고 구부정하게 앉아 책상다리를 하고서 게으르게 담배를 물고 있던 세토가 "장가長歌 중에 「노송老松」이라는 곡이야" 하고 가르치듯 말하더니 잠시 후 다시 덧붙였다.

"저기 오른쪽에서 춤추는 게이샤 말이야, 한가한 게이샤 치고는 반반한데?"

"난 어차피 춤은 잘 몰라서 술을 따르는 게이샤가 더 예쁘고 괜찮던데. 오늘은 왜 안 온 거지?"

"글쎄. 다들 예약이 찼나 보지."

세토는 갑자기 벌떡 일어나더니 어디론가 가버렸다. 준이치는 양옆 자리가 비어 있는 걸 보고 왠지 앉아 있기가 거북해졌다. 그래서 전차에서 만나 함께 온 다카야마 선생이 있는 자리에라도 가볼까 하고 선생의 모습을 언뜻 보았던 도코노마 왼쪽의 선반 주변을 보니 선생은 여전히 뭔가 열심히 말하고 있었다. 자기 옆에 있던 소네도 어느덧 선생 앞에 가 있다. 준이치는 마침 잘 되었다고 생각하며 소네의 뒷자리에 앉아 다카야마 선생의 이야기를 들었다.

"친화이秦淮는 정말 놀랍더군. 그래, 제일 넓은 곳은 여섯 칸쯤 되려나. 도랑 폭이 여섯 칸이나 되더란 말이지. 그 도랑물이 얼마나 더럽던지. 그에 비하면 시후西湖는 어쨌든 호수답더라고. 경치가 일품인 곳도 있어. 같은 호수라도 둥팅호洞庭湖는 별로야. 겨울에 가서 그런지 몰라도 모래섬만 있고 전혀 호수 같지 않더구만."

선생이 중국에 갔을 때 이야기인 것 같다. 선생은 준이치의 시선이 자신의 얼굴에 닿아 있는 걸 알아차리고 "실례지만, 한 잔 받으시게"라고 말하며 잔을 내밀었다. 잔을 받자 문득 옆에서 빨간 속옷 소매에 휘감긴 하얀 손이 불쑥 나와 술을 따랐다.

손의 주인은 아까 춤추고 있을 때 세토가 반반하다고 칭

찬하던 여자였다.

준이치는 선생에게 잔을 돌려주고 중국의 연극 이야기나 차를 마실 때 수박씨를 곁들여 내놓는다는 이야기를 나중에는 한 귀로 흘려듣고는 자리로 돌아왔다. 양쪽 옆자리는 여전히 비어 있었다. 준이치는 멍하니 주위를 둘러보았다.

같은 줄에서 소네의 빈자리 건너 앞자리에 양복 단춧구멍으로 시곗줄을 늘어뜨린 관리처럼 생긴 마흔쯤 되어 보이는 남자가 아까 샤미센을 연주하던 나이 든 게이샤를 상대로 쉴 새 없이 떠들고 있다. 은행잎 모양으로 머리를 틀어 매고 검은 공단으로 된 허리띠를 맨 중년의 여자다. 상대라고는 해도 손님은 게이샤를 상대하고 있다고 착각하겠지만 게이샤는 이 손님을 전혀 상대하고 있지 않다. 손님은 게이샤를 희롱하고 있다고 생각하겠지만 오히려 게이샤에게 철저히 희롱당하고 있다. 손님을 어린애 취급한다고나 할까. 아니다. 어른이 무지한 아이를 상대할 때는 조금은 보살피고 돌보는 마음이 있다. 이 나이 든 게이샤는 악의적으로malintentionné 손님을 모욕하고 그 악의를 포장하고 숨길 억제력도 갖추지 않았다. 손님은 자신의 무지함에 속고 있으면서도 그것을 전혀 깨닫지 못한 채 얄팍한 농담의 옷을 걸친 씁쓸한 조롱을 받으며 순진하게 웃고 흥겨워한다.

준이치는 한동안 듣고 있다가 굉장히 불쾌해졌다. 조롱

당하는 40대 남자는 동정할 가치도 없다. 준이치는 그에게 완전히 무관심indifférent하다. 그렇지만 나이 든 게이샤는 얄밉다.

게이샤는 잔인한 동물이다. 이것이 준이치가 처음으로 게이샤라는 존재에 대해 내린 해석이다.

갑자기 대화를 멈추더니 운명의 여신 아트로포스는 자리에서 일어났다.

때마침 나이 든 게이샤가 자리를 뜨길 기다리기라도 한 듯 교대로 와서 앉은 게이샤는 시마다마게*를 한 아까 그 곱상한 게이샤였다. 손에는 술병을 들고 있다.

"따뜻할 때 드세요." 시곗줄을 드리운 남자 앞에 술병을 쑥 내민다.

남자는 술을 받으며 여자의 얼굴을 느끼하게 쳐다보며 물었다. "네 이름이 뭐냐?"

"오차라예요"라고 대답했지만 그 대답이 전혀 애교스럽지 않았다. 그렇다고 해서 아까 그 나이 든 게이샤처럼 사람을 조롱하는 것도 아니었다. 오차라의 얼굴에는 완전한 평온함calme이 지배하고 있었다. 바람 한 점 없이 잔잔했다.

준이치는 옆에서 이 여자를 바라보았다. 앳된 얼굴이다. 얼마 전까지 술시중을 들던 햇병아리였다가 어엿한drue 게이샤가 되었겠지. 갸름한 얼굴에 뺨과 코에 자연스러운 홍

* 일본의 전통적인 올림머리 중 하나로 게이샤가 많이 했던 머리 모양.

조가 넘쳐흐른다. 시원한 눈동자가 옆에서 보면 초록빛으로 반사되어 보인다. 차분한 색상의 기모노는 상의와 하의의 농담이 다르다는 것만 준이치의 눈에 들어왔다. 우중충한 연보라색 오글쪼글한 옷감에 화려한 넓은 허리띠를 매고 있다. 허리띠를 가운데 두고 오비아게는 위로, 고시오비*는 아래로 두 개의 평행선을 그리는 진홍색과 뒤집어 접은 소매, 삼각형을 이루는 진홍색 속옷이 우선 눈을 몹시도 자극한다.

준이치가 안주를 뒤적이며 흘끔흘끔 쳐다보니 여자도 작은 곰방대를 물고 이쪽을 힐끔힐끔 쳐다본다. 시마다마게를 한 여자가 무심코 고개를 앞으로 숙이자 뒤쪽 옷깃을 힘껏 아래로 잡아당긴 것 같은 목덜미에 역삼각형의 움푹 들어간 하얀 뒷덜미가 보인다. 준이치는 문득 생각했다. 이 여자는 내 근처에 오려는 게 아닐까. 아까 다카야마 선생 앞에 왔을 때도 어느새 내 옆에 앉아 있었다. 지금 시곗줄을 늘어뜨린 남자 앞에 와 있는 것도 내 자리와 가까워서가 아닐까. 하지만 이내 자조했다. 아무리 세토의 말이 사실이고 오늘 밤에 온 게이샤가 한가한 여자들뿐이라 한들 수수한 무명 하카마를 입은 학생 꽁무니를 쫓아다닐 리가 없다. 스스로 생각해도 한심해서 준이치는 심기일전해서 마침 가져온 계란찜을 젓가락으로 뒤적이기 시작했다.

* 기모노의 기장을 조절하기 위해 허리띠 밑에 매는 끈.

그때 검은 비단에 등과 가슴, 양쪽 소매에 문양이 들어간 하오리를 입은 기생오라비 같은 남자가 시곗줄을 늘어뜨린 남자 앞에 와서 술잔을 받았다. 20대의 젊은 나이 치고 굉장히 세련된 남자로 말할 때마다 엷게 화장한 것 같은 뺨에 세로로 세 줄 깊은 주름이 파였다. 그리고 그 목소리가 뭐라 형용할 수 없이 부자연스럽고 카랑카랑했다. 새된 Voix de fausset 목소리였다.

왼손을 바닥에 짚고서 받아 든 잔에 오차라가 술을 따르자 "감사합니다" 하고 인사했다.

기름을 발라 반짝거리는 머리카락 한 줌이 좁은 이마에 흘러내려 있다.

시곗줄이 말했다. "얼마 전에 우리 집 애들이 유라쿠자 공연을 보고 와서 자네 이야기를 많이 하더군. 아주 재미있게 본 모양이야."

"아닙니다, 아직 많이 부족합니다. 그래도 언제 시간 되시면 한번 보러 오십시오."

준이치는 신파극 배우도 있다는 소네의 말을 떠올렸다. 그리고 쓸데없이 이 배우의 앞날을 걱정했다. 배우는 다양한 인물로 변신해 저마다 자연스럽게 연기해야 한다. 그런데 자기를 연기하는 것만으로도 이미 저렇게 부자연스럽다. 그대로 청년 배우 역으로 무대에 서면 어떨까? 절대 진지한 연극이 되지 못할 것이다. 익살스럽고 facétie 즉흥적인 희극이 될 것이다. 일단 저 목소리는 왜 저런 걸까. 저 남자도 결코 태어날 때부터 저런 목소리는 아니었을 것이다. 일부러 좋은 목소리를 내려고 저런 목소리를 내다보니 결국 후천적으로 얻은 목소리일 것이다. 마치 착한 아이가 되라는 말을 들은 아이가 보기 싫은 찡그린 표정grimace을 짓는 것과 마찬가지겠지. 가여운 일이다.

이런 생각을 하면서 준이치는 오차라가 이 배우를 어떻게 대할지 부지런히 관찰했다.

사회는 다방면으로 서로 접촉할 기회가 있을 때마다 준이치의 망상illusion을 가차 없이 깨부숴 주었다. 특히 도쿄에 온 후로는 어느 계급이든 사회라는 수면 위로 머리를 삐쭉 내밀고 헤엄치는 인간들을 볼 때마다 준이치는 그 사람이 고상한 취미가 있을 거라는 기대 자체를 하지 않는다. 그러니 게이샤가 그런 취향을 이해하리라고는 애당초 기대조차 하지 않았다.

그런데 오차라는 이 기생오라비 같은 사내를 호감 어린 눈으로 볼까? 아니면 멸시의 눈으로 볼까?

준이치의 눈에 비친 모습은 의외였다. 오차라는 술을 따를 때 흘끔 쳐다볼 뿐 거들떠보지도 않았다. 아무리 봐도 반응은 중립적이다.

배우는 오차라와 소매가 서로 맞닿을 만큼 가까이 앉아서 잔을 앞에 내려놓고 여전히 왼손을 바닥에 집고 말했다.

"교겐狂言*도 관객분들이 보실 때 내용을 대강 이해하는 정도면 괜찮다고 하시지 않으면 일하기 만만치 않아서 힘듭니다. 각본에 있는 긴 대사를 일일이 다 외우게 하면 견딜 수가 없거든요. 대가가 쓴 각본은 정말 그게 힘듭니다. 여자 역할이요? 한 번 느낌을 이해하면 그렇게 어렵지는 않습니다. 여배우도 조만간 나오겠지만 역시 남자가 아니면 하기 힘든 여자 역할이 있다고 말씀하시는 분도 계십니다. 서양에서도 옛날에는 여자 역할을 죄다 남자 배우가 맡았다고 합니다."

시곗줄은 대단한 후원자mécène 같은 얼굴로 듣고 있다. 오차라는 따분한 얼굴로 곰방대 주머니 끈을 무릎 위에서 묶었다 풀었다 하고 있다. 준이치가 어롱 안의 하얀 물고기가 꿈틀대는 듯한 그 작은 손장난을 바라보자 오차라도 몰래 준이치 쪽을 흘끗흘끗 쳐다본다.

시선이 잠시 오가는 사이에 준이치는 서서히 어떤 긴장감을 느꼈다. 어떻게든 해결하지 않으면 안 될 문제가 주어진 것처럼 초조함과 불안감에 휩싸였다. 무슨 말이라도 한다면 이 불쾌한 포박을 풀어낼 수 있으련만. 하지만 다른 사람 앞에 가 앉은 사람에게 말을 걸 순 없었다. 아니, 내 앞에 온다고 한들 제대로 말을 할 수 있을지도 의심스럽다. 정말이지 저렇게 계속 나를 흘끔거릴 정도라면 내 앞으로 오면 된다. 내 앞에 온들 다른 손님처럼 술잔을 건넬 수 있을지 어떨지 모르겠다. 아무래도 그런 짓은 나에겐 부자

* 일본의 전통적인 희극.

연스러울 것 같다. 억지로 하더라도 성미에 맞지 않아 어색할 것이다. 저쪽이 누구에게나 그러하듯 나에게 술을 권하는 건 별로 대수롭지 않은 일일 것이다. 왜 내 앞에 오지 않을까. 그리고 왜 술을 따르지 않을까. 저쪽이 그렇게 하기에 먼저 극복해야 할 무언가도 존재하지 않는데.

여기까지 생각하자 준이치의 마음속에는 지난번처럼 여성에 대한 적개심이 싹트기 시작했다. 그리고 저 여자는 어느새 나를 농락하고 있다고 느꼈다. 물론 그 느낌은 표적을 여성에게 돌린 괜한 화풀이일지도 모른다는 생각도 동시에 했다. 하지만 그런 고려는 적대감을 소멸시키기에는 역부족이었다.

다행히 오차라가 준이치에게 보내는 유혹의 힘이 별로 강하지 않다는 것과 두 사람 사이에 아직 직접적인 충돌collision이 없었다는 점 때문에 준이치는 이 깜찍한 적 앞에서 퇴각을 결심할 만큼의 자유를 가지고 있었다.

퇴로는 세토가 있는 방향으로 잡았다. 세토가 시곗줄 조금 앞자리로 돌아와 회를 뒤적이는 모습을 발견했기 때문이다. 오차라가 앉은 자리에서 거리는 별로 멀지 않지만 저쪽으로 가면 얼굴을 마주할 일은 없다.

준이치는 유혹을 물리친 사람의 작은 승리감triomphe을 느끼며 자리에서 일어섰다. 하지만 준이치가 일어나자마자 오차라도 일어나 어딘가로 가버렸다.

“어때?” 세토가 눈으로 반기며 물었다.

"별로 재미없네." 소곤소곤 답한다.

"당연하지. 연회란 게 원래 그렇지 뭐. 저기 봐. 또 춤추나 봐. 엄청 서비스가 좋네."

준이치가 뒤돌아보니 아까 그 자리에 나이 든 게이샤들이 샤미센을 들고 서 있고 그 앞에 오차라와 게이샤 한 명이 열심히 준비를 하고 있다. 위아래 옷자락을 확 걷어 올려서 허리띠 위로 가져와 끼워 넣는다. 오차라는 화려한 무늬가 그려진 진홍색의 긴 속옷을, 방금 온 게이샤는 비슷한 무늬의 담홍색 긴 속옷을 무릎 아래로 드러내고 있다. 나이 든 게이샤가 앉아서 샤미센을 켜기 시작했다. 활발한 춤이 펼쳐졌다.

"뭐지?" 준이치가 물었다.

"모모타로*야. 저것 봐. 할아버지, 할머니가 어쩌고 하면서 노래하잖아."

과연 술 마시는 자리는 앞장서서 찾아다니는 세토답게 여러 가지 지식을 가지고 있구나 하고 준이치는 감탄했다.

여종업원이 초밥을 한 접시씩 가지고 왔다. 세토는 잽싸게 참치 초밥을 집어 한입 먹더니 소반 위를 눈으로 훑었다. 간장을 찾는 것이다. 그런데 회를 말끔히 먹어치웠기 때문에 여종업원이 진작에 간장하고 같이 내어가버렸다.

* 일본의 설화. 노부부가 강에 떠내려 온 복숭아를 건져 집에 돌아오자 그 속에서 사내아이가 태어나 도깨비를 물리쳤다는 영웅담이다.

남은 건 껍질째 내온 굴과 함께 나온 식초뿐이다. 세토는 참치 초밥에 식초를 찍어서 입에 쑤셔 넣었다.

"넌 초밥 안 먹어?"

"난 아까 계란찜 먹고 배가 불러서. 술도 별로 고급이 아니네."

"손님 나름이지."

"그래?" 준이치는 따분하게 도코노마를 둘러보고 말했다. "뭐지, 저 큰 호랑이는."

"간쿠岸駒*야. 문부성 전람회에 출품하면 심사에서 떨어질 거야."

"그런가. 이제 슬슬 가 봐도 될까?"

"상관없지."

잠시 후 준이치는 조용히 일어났다.

"가려고?" 세토가 물었다.

"뭐, 분위기 봐서." 이렇게 말하고 방 중앙을 가로질러 복도로 나가 계단을 내려갔다. 사실 눈에 띄지 않게 갈 수 있으면 돌아갈 생각이었다.

계단 밑으로 내려가니 마침 모임에서 본 두 사람이 변소에서 나왔다. 준이치는 자기만 일찍 자리를 뜨는 걸 들킬까 봐 변소로 갔다.

볼일을 마치고 변소를 나온 준이치는 복도 기둥에 몸을

* 에도시대 중기~후기의 화가. 특히 호랑이 그림으로 유명하다.

기대고 서 있는 오차라를 보고 흠칫 놀랐다.

"벌써 가시게요?" 오차라는 준이치의 얼굴을 빤히 쳐다보았다. 이 여자는 눈으로 웃을 수 있는 여자였다. 초록빛으로 반사되는 눈동자로.

오차라는 상반신을 유연하게 앞으로 굽히고 한 걸음 다가왔다. 엷은 홍조를 띤 여자의 얼굴이 너무 가까워 준이치는 눈이 부셨다.

"다음엔 혼자 오세요." 작은 명함꽂이에서 명함을 한 장 꺼내더니 준이치에게 건네는 것이었다.

준이치는 명함을 받았지만 아무 말도 할 수 없었다. 아무것도 생각할 여유가 없었기 때문이다.

준이치가 놀라서surprise 멀뚱히 서 있는 동안 오차라는 몸을 돌려 복도 계단 쪽으로 총총히 사라졌다.

준이치는 손에 든 명함을 보지도 않고 품에 넣은 다음 멍하니 계단 밑까지 와서 주위를 둘러보았다.

모자와 외투를 빼곡히 올려둔 선반 밑에서 화로를 둘러싸고 웅크려 앉아 있던 남자 네다섯 명 말고는 아무도 없었다. 준이치는 불안한 눈빛으로 계단 위를 올려다보았지만 아무도 내려오지 않았다. 이때다 싶어 선반 쪽으로 갔다.

"몇 번이세요?" 남자 하나가 벌떡 일어났다.

준이치는 교환증을 꺼내 모자와 외투를 받아 들고는 추운 현관을 나섰다.

18

준이치는 가메세이로에서 집으로 돌아오는 길에 료고쿠 다리 근처에서 하마초浜町 강변을 돌아오는 전차를 기다리다 탔다. 곧 연말이라 사람들로 붐비는지 전차에는 만원이라는 빨간 팻말이 걸려 있었지만 정거장에서 두세 명 내리는 사람이 있어서 겨우 올라타기는 했다.

전차 뒤쪽 창밖에 가로로 고정된 놋쇠를 붙잡고 서 있는데 차장이 안으로 들어가라고 한다. 들어가려고 한쪽 발을 위쪽으로 디뎠지만 하필 출입구에 한텐을 입은 젊은 남자가 팔짱을 끼고 떡하니 버티고 서서 꼼짝도 하지 않았다. 준이치가 다시 발을 빼고 그대로 밖에 서니 차장도 더는 들어가라고 하지 않았다.

그러는 사이에 전차가 갑자기 커브를 돌았다. 준이치가 퍼뜩 정신을 차리고 보니 이 전차는 아사쿠사로 가는 전차였다. 모임에서 느낀 온갖 감정 때문에 머리가 카오스 상태여서 어디로 가는 전차인지 보지도 않고 탄 것이다.

처음 끊은 표를 반납하고 우에노 대로로 가는 전차로 표를 교환했다. 그리고 차장에게 물어 우마야바시 거리에서 갈아탔다.

혼조에서 온 이번 전차는 조금 덜 복잡해서 준이치는 손잡이를 잡을 수 있었다. 통로를 지나는 사람의 허리 밑으로 시선을 둔 준이치의 머릿속에는 오차라가 목덜미를 쭈욱 빼고 앉아 있던 모습과 허리 아래로 기다란 속옷을 드러낸 채 서 있던 모습이 아른거리다가 마침내 변소 앞에서의 일이 떠오르자 상상이 거기서 걸음을 멈추고 꼼짝도 하지 않았다. 그때의 말과 동작 하나하나가 마음속에서 끊임없이 되풀이되는 동안 통로를 어떤 사람이 지나가는지 알지 못했다.

어떤 동기로 그런 행동을 했느냐는 의문이 이때 일찌감치 고개를 들었다. 관능은 젊은 피의 순환과 함께 몹시도 급격히 동요하지만 사고는 스스로를 의심할 만큼 냉정하다. 언젠가 세토가 "너는 노인네 같은 생각만 하는구나"라고 놀린 것도 당연하다. 색정인지, 욕망인지 아니면 색정과 욕망 둘 다인지 신문의 가십거리에서나 봄 직한 심리가 생각났다. 그리고 욕망이라면 딱 봐도 학생 같은 자기가 아니더라도 상대할 사람을 얼마든지 고를 수 있었을 거라고 겸손하게 반추하면서도 그 이면에 자만심vanité이 고개를 쳐든다. 하지만 사랑은 하지 않겠다. 언젠가는 사랑이란 걸

해보리라 마음의 짐처럼 생각하면서도 사랑은 하지 않겠다. 사고가 냉정한 것도 그 때문이 아닐까.

큰길에서 내리니 바람이 살짝 불면서 아직 불을 환하게 밝힌 가게 앞에 새해에 장사가 잘되길 기원하며 내놓은 대나무 잎이 살랑거렸다. 준이치는 외투 깃을 세우고 목을 움츠리며 딸깍딸깍 나막신 소리를 내며 걷기 시작했다.

동향인 야나카의 작은 방에 있는 화로가 그리워질 때쯤 인력거꾼이 권하기에 결국 인력거에 몸을 실었다. 인력거를 타니 얼굴로 불어오는 거센 바람도 아직 남아 있는 취기 때문인지 오히려 상쾌하게 느껴졌다.

도쇼구 입구의 기둥 문 옆을 가로지르는 익숙한 길을 지나 동물원 쪽으로 빠져나올 때쯤, 어둑어둑한 삼나무 가로수 아래에서 문득 자신이 지금 뭘 하고 있는 건가 하는 생각이 들었다. 그러고는 이대로 아무것도 이루지 못한 채 성당 너구리 이야기를 하던 그 노인네처럼 되어버리는 게 아닐까 생각하다가 한심스러워 이내 고개를 저었다.

덴노지 앞을 도니 산사키키타마치 주변 가게들도 아직 문을 닫지 않고 있었다. 공원 하나를 사이에 두고 도심과 외곽이 저마다 다른 연말 분위기를 자아냈다.

집 앞에서 인력거를 돌려보내고 방으로 들어갔다. 소매에서 성냥을 꺼내 램프에 불을 붙이고 보니 할머니가 세심하게 바닥에 이불을 깔아 놓은 데다가 화로에 올려둔 주전자에는 물이 끓고 있었다. 주전자를 내리고 보니 꽂아둔 숯이 벌겋게 달아올라 있다. 준이치는 그걸 헤집어서 불을 한껏 지폈다.

깨끗하게 정리된 탁자 위에는 읽다 만 마테를링크의 『파랑새』가 있었다. 그 위에 엽서가 한 장 놓여 있다. 순간 내일 하코네로 떠나는 부인이 보낸 편지인가 싶어 가슴이 두근거렸지만 아니었다. 보낸 이는 오무라였다. "내일 찾아뵙겠으니 다른 용무가 없다면 기다려 주십시오. 다만 이쪽도 용건은 딱히 없습니다"라고 적혀 있었다. 이 정도의 문장에도 어딘지 오무라다운 데가 있다고 느낀 준이치는 혼자서 피식 웃고는 엽서를 탁자 밑에 있는 철사로 엮은 서류함에 넣었다. 이건 준이치가 진보초 정거장 옆에서 우연히 보고 산 것이다.

그러고 나서 준이치는 도코노마 구석에 놓아둔 함을 꺼내 소맷자락에서 지갑이며 시계를 끄집어내 아무렇게나 던져 넣었다. 그중에 작은 명함이 한 장 섞여 있다. 잘 보지도 않고 소매에 찔러둔 명함이다. 집어 들어 보니 '사카에야 오차라'라고 함부로 쓴 글씨가 석판 인쇄되어 있다.

함부로 썼다고 생각하면서도 준이치는 아무리 남들에게 희롱당하는 직업을 가진 여자라지만 저질스러운 이름*을 붙였다고 생각했다. 글씨로 봤기 때문에 그렇게 생각한 것이다. 명함이라는 기념품을 손에 들고 있으면서도 오차라

* '오차라(おちゃら)'는 남의 비위를 맞춘다는 뜻이 있다.

의 표정과 목소리가 준이치의 마음속에 잘 떠오르지 않았다. 기모노 색상이나 옷매무새 같은 것 말고는 이러저러한 대강의 사실만 기억에 남아 있을 뿐이다.

그러나 이 명함은 찢어버리거나 휴지통에 처넣어 버릴 만큼 준이치에게 무의미한 물건은 아니었다. 적어도 당장 그럴 만큼 무의미한 물건은 아니었다. 그렇다고 혼자 가서 오차라를 불러 볼 작정이냐면 그건 적어도 당장 눈앞에 닥친 문제는 아니었다. 다만 당장 버리기에는 아쉬웠다. 대체 명함에 무슨 의미가 있는 걸까. 준이치는 그것을 확실히 알 수 없었다. 아니면 그가 스스로를 사랑하는 마음에 한 가닥 향encens을 피워준 여자에 대한 기념이 아니었을까? 준이치는 그것을 확실히 알 수 없었다.

준이치는 명함을 『파랑새』의 페이지 사이에 끼워 넣었다. 그리고 옷도 갈아입지 않고 그대로 이불 속으로 들어갔다.

19

이튿날 아침 준이치는 잠을 푹 잔 거뜬한 몸으로 상쾌하게 눈을 떴다. 다만 목에 가래가 낀 것 같아 기침을 두세 번 해보고 감기에 걸렸나 보다 했다. 하지만 아무래도 전날 밤 마신 술 때문인 것 같아 양치를 하고 세수를 하니 개운해졌다.

탁자 앞에 앉아 어느새 불을 지펴놓은 화로에 손을 쬐고 있을 때 준이치는 퍼뜩 생각나 마음속으로 중얼거렸다. '아, 오늘이었지.' 마치 학교 다닐 때 아침에 일어나 무슨 요일인지 생각하자마자 그날의 일정이 떠오른 것처럼.

준이치가 생각난 건 오늘이 사카이 부인이 하코네로 떠나는 날이라는 것이었다. 부인의 말대로 나중에 가보자고 마음먹은 것은 아니었다. 제일 먼저 그 생각이 난 건 부인에게 가벼운 암시suggestion를 받았기 때문이다. 정말이지 부인의 말과 행동에는 암시적인suggestif 데가 있어서 부인은 반은 무의식적으로 그것을 이용해서, 아니 오히려 악용해서 사람의 마음을 좌지우지하는 경향이 있다. 만약 최면술사가 된다면 크게 성공할 사람일지도 모른다.

사카이 부인이 하코네로 떠나는 날이라는 게 생각난 뒤로 준이치의 상상은 어둠 속을 날아올라 묘한 기억을 불러일으켰다. 그것은 어젯밤 새벽에 꾼 꿈이었다. 꿈을 꾸다 화들짝 놀라 잠에서 깼다가 다시 잠이 들었는데 그 뒤로 별로 길게 자지 못했다. 어느새 동이 틀 무렵이 되었기 때문이다.

잘 생각나지 않지만, 오무라와 함께 여행을 떠났다가 어느 찻집에서 쉬고 있었다. 일전에 갔던 오미야에서처럼 갈대발을 두른 한적한 찻집은 아니었다. 차를 마시며 맛없는 과자와 빵 같은 걸 먹고 있었다. 계절은 잘 모르겠지만 언뜻 보기에는 훈훈한 색채로 충만해 있었다. 약간 흐린 오후였다. 오무라와 뭔가 이야기를 주고받으며 웃고 있는데 밖에서 여자가 소리쳤다. "쓰나미가 와요!" 준이치가 먼저 일어나 길로 나가 보았다.

널따란 밭과 밭 사이를 곧게 길게 뻗은 큰길이었다. 좌우에는 도랑이 있고 도랑가에는 오리나무가 비실비실 줄지어 있다. "어머, 저기 좀 봐." 여자가 말하는 방향을 보아도 잿빛 하늘 아래에 잿빛 선 하나가 아른거릴 뿐 그게 물인지는 확실히 분간할 수 없었다. 그런데도 준이치의 가슴에는 극심한 공포가 몰려왔다. 때마침 바깥으로 나온 오무라를 돌아보며 물었다. “가까운 산이 어디죠?” 오무라는 아무 말이 없었다. 사방을 둘러봐도 산 같은 산은 보이지 않았다. 다만 물이 흘러오는 방향과 반대쪽에 별로 높지 않은 언덕이 보인다. 준이치는 그쪽을 향해 달리기 시작했다. 드넓은 밭을 가로질러 발길이 닿는 대로 마구 달렸다.

이따금 돌아보니 오무라는 원래 서 있던 자리에 가만히 서 있었다. 여자는 없었다. 꿈속에서는 인물의 배경이 마음대로 움직인다. 준이치는 여자가 없어졌다고 생각하지 않았기 때문에 왜 없는지 의아해하지도 않았다.

갑자기 장면scène이 바뀌었다. 꿈속에서는 장소의 변화도 자유롭다. 준이치는 물이 발꿈치까지 차오르는 것을 느끼고 서둘러 옆에 있는 커다란 나무로 기어올랐다. 무슨 나무인지 모르지만 넓적한 초록 잎이 무성한 나무였다. 계속 기어올라 부채처럼 활짝 벌어진 나뭇가지에 손이 닿았다. 그 가지 위로 뛰어오르자 같은 나뭇가지에 자기보다 먼저 피난을 온 사람이 있었다. 군데군데 햇빛에 하얗게 반사되는 푸른 나뭇잎 속에 파묻혀 긴 머리칼이 헝클어지고 소매도 옷자락도 흐트러진 여자가 있었다.

누런 흙탕물이 주위에 넘쳐흐르는 와중에 오직 이 나무 하나만 외딴섬처럼 삐죽 솟아 있다. 멸망한 세상에 새롭게 태어난 아담과 이브처럼 나뭇가지 끄트머리를 움켜쥔 손으로 몸을 지탱하며 둘은 아무런 주저 없이 다가갔다.

준이치는 서로 맞닿을 정도로 바짝 다가온 낯선 여자의

얼굴이 어느새 오차라로 바뀐 것을 전혀 이상하게 여기지 않았다. 친근한 표정과 단편적인 말들이 오가는 사이에 여자는 어느새 사카이 부인으로 바뀌어 있었다. 준이치가 위태로운 몸을 지탱하려 애쓰는 노력과 두 사람 사이에 존재하는 거리를 좁히려는 욕망으로 고민하는 사이에 여자의 얼굴은 어느새 유키로 바뀌어 있었다.

그 순간 준이치는 퍼뜩 놀라 반쯤 잠에서 깼다. 어떤 사람이 쓴 책에서 사람은 꿈속에서 어떤 금수 같은 짓도 서슴없이 하는데, 그것은 도덕이라는 약속으로 이루어진 세상에 아직 존재하지 않았던 태고로 돌아가는 격세유전Atavisme 이라는 말이 적혀 있었다. 그것은 아주 대담한 추론이다. 하지만 그 옳고 그름은 차치하고 준이치는 그런 격세유전에는 빠지지 않았다. 혹은 꿈이 거의 깬 상태라 깨어난 의식이 어느 정도 작동한 탓일지도 모른다.

반쯤 깨어난 준이치의 몸에는 욕망의 불꽃이 타오르고 있었다. 그리고 걷어찬 이불을 다시 목까지 바짝 끌어당겨 턱이 다 덮이도록 하고서 다시 잠들려는 순간, 몽롱한 가운데 도중에 깨어버린 꿈의 여운을 아쉬워하는 마음이 들었다. 하지만 그 뒤로 짧고 깊은 잠에 빠져든 모양이다.

준이치는 인간 사고의 거침없는 속도로 순간적으로 긴 꿈을 반복해서 꾸었다. 그리고 그것을 반복해서 꾸는 동안에는 꿈의 윤곽과 색채가 분명하고 손에 잡힐 듯이 생생하게 느껴지는 것이 감동적이라 문득 그런 식으로 글이 써진다면 좋겠다고 생각했다. 그래서 다시 반복해서 꿈을 꾸려고 하자 이미 윤곽이 흐려지고 색이 바래서 길가의 돌부리에 걸려 넘어지듯 부자연스러움과 불합리함이 유난히 두드러지게 느껴졌다.

20

오전 10시쯤이었다. 하쓰네초 거리 쪽을 향해 있는 장지문에 잿빛 구름에 가려진 햇빛이 거의 색채를 느낄 수 없을 만큼 퇴색해서 누르뎅뎅하게 비치는 준이치의 방으로 오무라 쇼노스케가 혈색 좋은 상쾌한 얼굴로 들어왔다.

"와, 집에 있었군요. 엽서는 보냈지만 오늘 아침 일어나 보니 날이 흐리긴 해도 도쿄 날씨치고는 나쁘지 않아서 어디 외출이라도 하지 않았을까 싶었어요."

준이치는 자기의 음침한 방 안에 오무라가 활기를 불어넣은 기분이 들었다. 그리고 화로 반대편에 책상다리를 하고 앉은 건장한 체격의 오무라를 보고 그 쾌활함에 이끌려 밝게 대답했다. "마침 잘됐다고 생각했어요. 딱히 어디 갈 데도 없거든요."

오무라의 말로는 방학 중에 1월 10일까지 근교로 여행을 다녀올 계획이라 인사라도 해 둘 겸 왔다는 것이다. 준이치는 그 마음 씀씀이에 진심으로 감격했다.

이런저런 이야기를 나누는 사이에 오무라가 탁자 위에 있는 『파랑새』의 각본을 발견했다.

"뭔가 읽고 있네요"라면서 책을 집으려 하자 준이치는 가슴이 철렁했다. 오차라가 준 명함이 끼워져 있는 걸 볼까 봐 조마조마했다.

준이치는 재빨리 기선을 잡듯 책을 들고 "L'oiseau bleu(파랑새)예요"라고 말하며 직접 책을 펼쳐 앞부분을 휘리릭 넘기고 18페이지를 보여주었다.

"여기. A peine Tyltyl a-t-il tourné le diamant, qu'un changement soudain et prodigieux s'opère en toutes choses(틸틸이 다이아몬드를 돌리자 갑자기 만물에 신기한 변화가 일어난다). 이 부분이 단순한 지문으로 느껴지지 않을 만큼 아름답게 쓰여 있어요. 저는 고향 중학교에 다닐 때 친구의 권유로 학식이 높은 스님을 종종 찾아가곤 했어요. 그때 그 스님이 『유마경維摩經』 강설을 하셨어요. 초라한 유마거사의 방이 장엄한 연화장 세계로 바뀌는 부분이 이런 느낌이죠. 하지만 저는 더 뒷부분까지 읽었는데, 이 각본 전체의 귀추에는 별로 공감할 수가 없어요. 빵과 물만으로 살아가고 크리스마스가 와도 아이들에게 전나무 가지에 촛불도 밝혀주지 못할 만큼 가난한 나무꾼의 집에도 행복한 파랑새가 새장 안에 있다. 파랑새를 찾아 틸틸과 미틸 남매가 추억의 나라, 밤의 궁전, 미래의 나라를 끝없이 헤매

잖아요. 그리고 미래의 나라에서 앞으로 태어날 아이들이 뭘 하느냐면, 정교한 기계를 연구해요. 날개 없이 나는 방법을 연구하죠. 온갖 질병을 낫게 하는 약을 연구해요. 죽음을 물리칠 방법을 연구해요. 굉장히 물질적인 것들이 많아요. 그런 걸로 인간이 행복해질 수 있나요? 저는 왠지 너무 모순되게 느껴져요. 19세기는 자연과학의 시대라서 물질적인 진보를 가져왔어요. 우리는 거기에 만족하지 못하고 우리의 촉각을 바깥 세계에서 내부 세계로 향하도록 했죠. 게다가 미래의 아이들이 온갖 기계를 가져다주고 수박만 한 커다란 사과를 가지고 온다고 한들 그게 무슨 의미가 있죠? 아, 그리고 코 파는 아이도 있었죠? 아마 오손 씨가 『대발견』*의 추가본을 내겠구나 싶었어요. 그 애가 코를 파면서 뭘 연구했느냐 하면, 태양이 사라져버린 후 세상을 따뜻하게 해줄 불을 연구해요. 그건 지금의 행복이 사라지고 나서 그걸 대체하는 것에 불과하지 않나요? 그야 물론 사람들이 아직 생각지도 못한 생각을 하는 아이들, 온갖 불공평을 없애려는 연구를 하는 아이들도 있었죠. 내면세계에 깊이 천착한 미래를 전혀 제시하지 않은 건 아니에요. 그런데 그것을 그저 어수선하게 늘어놓은 느낌이라 그걸 서로 이어줄 연결고리가 뭔지 저는 잘 모르겠어요. 모

* 모리 오가이의 소설. 자연연구자인 주인공이 유럽인이 코를 파는 것을 발견한다는 내용이다.

순이 모순인 채로 남아 있는 거죠. 그게 뭘까요?"

준이치는 자기도 모르게 청산유수처럼 말을 쏟아냈다. 그리고 속으로는 계속 오차라의 명함이 신경 쓰였다. 오무라가 그 책을 보자며 손을 내미는 일이 없으면 좋으련만 하고 간절히 바랐다.

다행히 오무라는 딱히 책을 보려는 기색 없이 말했다.

"글쎄요. 모순을 모순인 채로 남겨 둔 점은 이 각본의 약점이겠네요. 하지만 대체로 철학자들은 온갖 만물의 종국적인 문제부터 관찰하죠. 외부에서 보는 거예요. 니체도 그렇고 요전에 말했던 바이닝거도 그렇죠. 그래서 당신이 말하는 내면세계가 소홀해지는 거예요. 평범한 일상생활의 배후에 숨겨진 상징적인 의미를 체험하고 작은 풍경을 크게 조망하는 경우가 없어요. 그런 사람은 지멜* 같은 사람을 제외하면 마테를링크밖에 없어요. 그러니까 당신이 어수선하게 늘어놓은 느낌이라고 한 그 미래의 나라의 어린이가 분담하는 역할을 한데 녹여내 파랑새의 상징 속에 녹아들어간 것처럼 쓰고 싶었겠지만 그게 잘되지 않은 거겠죠."

준이치는 오무라의 이야기를 듣고 있는 동안 명함이 들킬까 봐 조마조마했던 마음이 차츰 가라앉으면서 오무라가 제기한 문제에 빠져들었다.

* 게오르크 지멜(Georg Simmel). 독일 철학자이자 사회학자. 생(生) 철학의 대표적 사상가.

"그런데 저는 그 일상생활의 평범한 앞면만 눈에 들어와요. 그런 건 시시해요. 이것이 언제가 이야기한 적 있는 이기주의와 관련이 있는 건 아닐까요?"

"그야 굉장히 관계가 있겠죠."

"그래요? 그럼, 당신 생각을 기탄없이 저에게 들려주세요." 준이치는 크고 시원시원한 눈을 반짝이며 오무라의 얼굴을 올려다보았다.

오무라는 손에 들고 있던 꺼진 담배를 화로 잿더미 속에 꽂으며 말했다. "그래요. 그럼, 어디 한번 잘난 척 좀 해볼까요?" 오무라는 하얀 이를 드러내며 씨익 웃었다. "결국 『파랑새』에서 그린 행복은 한마디로 말하면, 안에서 최선을 다하고 밖에서 충분히 세력을 떨치자는 것 말고는 없죠. 요즘에는 그걸 한학에서 말하는 도덕으로 행하자는 사람들이 있는데, 그건 수신제가 치국평천하修身齊家 治國平天下로 금방 해결할 수 있죠. 거기에 초월적인 측면이 더해져도 노장을 비롯해서 불교가 전래된 이후의 주자학이나 양명학 같은 것이 될 뿐이에요. 서양을 예로 들면 그리스의 윤리가 플라톤에 이르러 초월적으로 바뀌면서 기독교가 그 방면을 열심히 개척했죠. 깨달음의 세계에 입각하는 바람에 너무 성스러워져 속세에 소홀해진 거죠. 집에서 키우는 파랑새는 돌아보지 않고 다른 곳에서 파랑새를 찾으러 다니는 거죠. 내 생각엔 불교에서 말하는 출가나 기독교에서 말하는 은거는 결국 같은 뜻인 것 같아요. 그리고 저는 앞으로 사상의 발전은 서양에만 있을 거라고 생각해요. 르네상스라는 게 동양에는 없잖아요. 그것이 집 안의 파랑새까지 보여준 거죠. 대담한 항해자가 나타나 진짜 세계 지도가 만들어졌죠. 천문도 진짜로 알게 됐고요. 과학의 시대가 열렸고 예술이 꽃을 피웠죠. 기계가 점점 정교해지고 세상 만물이 불자들이 말하는 국토세간이 되어버렸어요. 산업과 자본이 모든 세력을 흡수해버리는 바람에 이번에는 깨달음의 경지가 소홀해졌어요. 그때 문득 잠에서 깨어나 깨달음의 경지를 보려 한 사람이 쇼펜하우어라는 기인이죠. 깨달음의 경지를 조망하면서 속세를 돌아보면 만물의 근본은 맹목적인 의지가 되어버려요. 그건 삶을 긍정할 수 없는 염세주의죠. 그때 니체가 나와서 그 생각을 뒤집어버려요. 맞다, 삶이란 고난을 피할 수 없다. 하지만 그것을 피해 도망가는 건 비겁하다. 고난 속에서 삶의 깨달음을 얻을 방법이 있다. 결국 왓What을 하우How로 바꾼 거죠. 어떻게 해서든 삶을 있는 그대로 깨달아야 해요. 루소처럼 자연으로 돌아가라고 말한들 태고와 현재의 중간에 놓인 기억은 유력한 사실이니 그것을 말살해버릴 수는 없어요. 일본에서 겐엔파蘐園派*의 한학과 게이추契沖, 마부치眞淵 이후의 국학을 르네상스라고들 하는데, 그건 그냥 복고지 재생은

* 에도 중기의 유학자인 오규 소라이(荻生 徂徠)가 제창한 학파로 옛 문헌을 해석할 때 고전을 중시하는 해석론을 강조하여 후대에 실증적 연구와 고증을 중시하는 학풍의 초석을 다졌다.

아니에요. 그렇다고 해서 과거의 기억 속에 남아 있는 아름다운 꿈의 나라에 영혼이 매몰되어 낭만주의자Romantiker가 추구하는 '파란 꽃'을 동경해서도 안 돼요. 톨스토이가 대단하다고 한들 그 역시 염세주의적이죠. 어차피 당장 눈앞의 일상생활에 부딪혀 나가지 않으면 안 돼요. 그런 마음이 디오니소스적이죠. 그렇게 일상생활에 몰두하면서 정신적인 자유를 견고히 지키면서 한 치도 양보하지 않는 것이 아폴론적인 거죠. 결국 그런 방법으로 삶을 깨닫고자 한다면 틀림없이 개인주의겠지요. 개인주의는 개인주의이지만 거기에는 당신이 말하는 이기주의와 이타주의 사이의 경계가 있어요. 이기주의는 니체의 단점이 대표하고 있죠. 기존의 권위를 추구하는 의지 말이에요. 남을 쓰러뜨리고 자기가 위대해지겠다는 생각이죠. 사람과 사람이 서로 그렇게 다투다 보면 무정부주의가 돼요. 그런 걸 개인주의라고 하면 개인주의가 나쁘다는 건 논할 여지도 없죠. 이타적 개인주의는 그렇지 않아요. '나'라는 성곽을 단단히 지키고 한 치도 양보하지 않으면서 인생의 온갖 이치를 깨닫는 거예요. 군주에게는 충성을 다하지만 국민인 나는 옛날 모든 것이 어수선한 시대의 소위 신첩臣妾이 아니에요. 부모에게 효를 다하지만, 사람의 자식인 나는 옛날에 자식을 팔고 죽일 수도 있었던 시대의 노예가 아니에요. 충이든 효든 모두 내가 깨달아서 얻은 인생의 가치에 불과해요. 그럼 '나'를 버릴 수 있느냐. 희생할 수 있느냐. 그것도 분명 가능해요. 사랑의 최대 긍정이 함께 죽는 것인 것처럼 충의 최대 긍정이 전사이기도 해요. 삶이 만물을 깨닫게 되면 개인은 죽어요. 개인주의가 만물주의가 되는 거죠. 염세주의로 삶을 부정해서 죽는 것과는 달라요. 어때요, 이런 생각은." 오무라는 또 한 번 이를 드러내며 웃었다.

열심히 듣고 있던 준이치가 말했다. "정말 그런 걸까요. 저도 나중에 곰곰이 생각해봐야 알겠지만 그런 식으로 연결 짓는다면 단편적인 근세 사상을 종합하는 지점이 생긴 것 같네요. 얼마 전에 어떤 박사가 이런 말을 했죠? '개인주의는 서양 사상이고 개인주의로는 자기를 희생할 수 없다. 동양에서는 개인주의가 가족주의가 되고, 가족주의가 국가주의가 되었다. 그래서 비로소 군주와 아비를 위해 몸을 버릴 수 있다'고요. 그런 주장에 따르면 개인주의와 이기주의가 동일시되니까 당신이 말하는 개인주의와는 완전히 달라요. 게다가 개인주의에서 가족주의, 그리고 국가주의로 발전해 온 것이니 그 발전이 서양에는 없고 일본에 있다고 말하는 건 이상하지 않나요?"

"그야 물론 이상하죠. 그런 사람은 개인주의를 이기주의나 자기중심주의와 동일시하고 있을 뿐만 아니라 무정부주의와도 동일시하죠. 정말이지 태고의 인간이 일일이 동굴에서 기어 나와 화학의 원자처럼 뿔뿔이 흩어져 생활했을 거라고 생각하는 건 그야말로 역사를 부정하는 이야기예요. 만약 그랬다면 인생의 시작은 무정부적이어야 하는

데, 그런 생활은 어느 시대에도 존재하지 않았어요. 무정부적인 생활이라는 건 지금 무정부주의자들의 공상에만 존재해요. 인간이 처음부터 그런 식으로 뿔뿔이 흩어져 살아가다가 인공적으로 사회를 만들고 국가를 세웠다는 생각은 루소의 사회계약설 같은 사상이지, 요즘 그런 걸 믿는 사람은 없어요. 먼 옛날로 거슬러 올라가면 갈수록 인간은 공동생활의 속박을 받고 있었어요. 그러다가 차츰 그 속박을 벗어나 자유를 얻고 개인주의로 변모해 온 거예요. 우리가 문학을 하지만 문학의 연혁만 봐도 알 수 있지 않나요? 운명극이나 경우극이 성격극이 되었다는 것은 연극이 발전해서 개인주의가 되었다는 뜻이죠. 이제 와서 개인주의를 퇴치하자는 건 잠에서 깨서 일어나려는 아이를 억지로 이불 속으로 밀어 넣어 누르고 있는 것과 같아요. 그게 가당키나 하겠어요?"

처음으로 탁 터놓고 활발한 논쟁을 벌였지만 말투에서 격앙된 흔적은 찾아볼 수 없었다. 오무라는 역시나 평소의 차분한 어조로 말했다. 그것을 준이치는 그저 "그렇군요." "정말 그래요"라고 맞장구치며 가만히 듣고만 있었다.

"정말 묘하죠." 오무라가 말을 이어갔다. "러시아와 전쟁을 하고 나서 서양의 학자들이 일본인들이 목숨을 아끼지 않는 모습을 보고 분석해요. 일본에서는 가족이나 국가라는 사상이 발전되어 있지 않으니까 그런 사상을 위해 희생하는 게 아니다. 일본인은 다른 인종에 대한 어리석은 증오 때문에 생명의 존엄함을 깨닫지 못해 헐값으로 전사를 하는 거라고요. 아무 책이나 읽어 보세요. 거의 전부가 그런 식으로 분석하고 있어요. 이쪽에서는 또 서양인들이 태곳적부터 개인주의였고 가족도 모르고 국가도 모르기 때문에 죄다 무정부주의가 되는 것처럼 말해요. 이렇게 서로의 몰이해méconnaissance를 주고받는 사이에 독일과 미국은 교환 대학교수 제도를 점점 확대해요. 벨기에에는 국제대학이 머지않아 설립될 거예요. 묘하지 않아요?" 이렇게 말한 오무라는 입을 다물어버렸다.

준이치도 묵묵히 생각에 잠겼다. 하지만 그와 동시에 존경하는 오무라와의 거리가 순식간에 사라진 것 같아 준이치는 기뻐서 자기도 모르게 빙긋 웃었다.

"왜 웃어요?" 오무라가 물었다.

"오늘 신나게 대화를 나눈 것 같아 기분 좋네요."

"그러게요. 말 하나하나를 저울질하지 않고 뭐든 하고 싶은 이야기를 한다는 건 우리 청년들의 특권이죠."

"왜 인간은 나이가 들면 위선에 빠지게 될까요?"

"글쎄요. 위선은 좀 심한 말 같지만 껍질이 딱딱해지는 것만은 틀림없어요. 영원한 생명이 존재하지 않는 것처럼 영원한 젊음도 없으니까요."

준이치는 잠시 생각하고 말했다. "그래도 어떻게든 조금이라도 그 껍질이 단단해지는 걸 막을 순 없을까요?"

"껍질뿐만이 아니죠. 온몸의 탄력을 보존하는 게 중요해요. 파리 파스퇴르 연구소에 메치니코프라는 러시아인이 있어요. 그 남자는 인간의 몸이 나이가 들면서 점점 석회화되는 걸 방지하는 연구를 하고 있죠. 불로불사不老不死의 문제가 요즘 세상에 재현된다면 뭐, 그런 식으로 재현될 수밖에 없겠죠."

"그래요? 그런 사람이 있어요? 저는 죽지 않는다고 생각하지 않지만 아무튼 석회화되고 싶지는 않네요."

"메치니코프도 그렇게 말했어요. 죽지 않을 순 없다. 죽을 때까지 탄력을 보존하고 싶다고 말이죠."

두 사람은 너무 먼 앞날의 일을 생각한 것 같아 마치 약속이나 한 양 동시에 웃었다. 두 사람은 아직 늙음이니 죽음을 한없이 먼 미래의 일로 생각한다. 한 사람의 생애를 재는 척도를 아직 구체적으로 손에 쥐어 본 적이 없는 것이다.

갑자기 후스마 바깥에서 달그락달그락 소리가 들렸다. 주인 할머니가 눈치껏 두 사람의 점심을 준비해서 가져온 것이다.

21

식사를 마치고 차를 마시며 격의 없는 두 청년이 우정의 즐거움을 침묵 속에서 음미하고 있었다. 뭔가 말하지 않으면 안 된다 싶어 말하고 싶지 않은 이야기를 하는 정도는 소위 교제하는 사람의 마음을 묶는 밧줄 중에서 가장 느슨하다. 그런 느슨한 밧줄에도 묶이지 않고 편안하게 잠자코 있고 싶을 때 잠자코 있는 것은 어느 나이를 지나면서는 쉽지 않다. 오무라와 준이치는 아직 그것이 가능했다.

준이치가 숯 통을 끌어와 숯을 쏟아붓고 있는 동안 오무라는 변소에 갔다. 그러자 준이치의 눈은 다급하게 『파랑새』의 각본으로 향했다. 가제본된 샤르팡티에 에 파스켈Charpentier et Fasquelle판 파란색 표지였다. 바삐 움직이는 손이 작은 종이칼로 자른 까슬까슬하고 삐뚤빼뚤한 페이지를 넘겼다. 그 속에서 찾아낸 작은 명함을 찢어버리려고 해도 종이가 질겨 도무지 찢어지지 않아 꼬깃꼬깃 구겨서 소맷자락에 쑤셔넣었다.

준이치는 증거를 인멸한 범죄자처럼 만족감을 느꼈다.

변소를 다녀온 오무라는 "이제 슬슬 가볼까"라고 말하며 몸을 구부정하게 숙이고 화로에 손을 쬐었다.

"여행 준비라도 하시게요?"

"그런 게 있겠어요?"

"그럼, 아직 더 있어도 되잖아요?"

"당신도 외로움을 잘 타네요." 오무라는 책상다리로 앉아 다시 담배를 피웠다. "외로움을 안 타는 사람은 둔감하거나 신경을 느슨하게 풀고 사는 사람이죠. 술, 도박, 여자, 해시시."

두 사람은 얼굴을 마주 보며 웃었다.

그런 다음 관능적 수용으로 정신을 흐리게 하는 건 정신적 자살이지만, 신경이 지나치게 흥분되거나 과도하게 억압되어 몸을 어떻게 하면 좋을지 모를 때가 있다. 그럴 때는 어떻게 하면 좋을지 준이치가 물었다. 오무라의 주장으로는, 가장 건전한 건 스웨덴식 체조 같은 것이겠지만, 훈련용으로 반대편에 가상의 적을 표적으로 세워두지 않으면 금방 싫증난다. 표적을 세우면 스포츠가 된다. 스포츠가 되면 직접적이든 간접적이든 경쟁심이 생긴다. 승부욕이 생긴다. 싫증이 나지 않는다는 건 어떻게든 이기려는 자극이 있다는 뜻이다. 그런데 개인마다 어느 정도 차이는 있겠지만 예술가에게는 일단 그런 투쟁심이 부족하다. 예술적인 이유로 설령 형식적으로 경쟁에 참여하더라도 창작할 때는 그것을 잊을 정도다. 파울 하이제Paul Heyse*의 단편소설 속에 경쟁자의 조각을 밤중에 몰래 숨어 들어가 부수는 장면이 나오는데, 그것은 성격적인 증오심을 바탕으로 하면서도 그 위에 사랑의 안타까움도 담고 있다. 결국 진정한 예술가는 스포츠에 열중하기 어렵다는 뜻이다.

준이치는 문득 생각난 듯 말했다. "저는 예술가인 척하려는 건 아니지만 아무래도 승부에는 열중하지 못하겠어요."

"이제 곧 우타가루타歌加留多**의 계절인데 그러면 안 되죠."

"그건 정말 못해요. 저는 항상 와카를 읽어주는 역할만 해요." 준이치는 웃었다.

"그렇군요. 100수 중에서 같은 가사로 시작되는 시 몇 수를 미리 외워둔 다음, 처음 다섯 글자를 다 읽기도 전에 아무 카드나 두세 장을 미리 추려낼 정도가 아니면 고수니 하수니 하는 평을 들을 수가 없죠. 그렇게 되면 와카의 가치가 사라져요. 애들이 가지고 노는 속담카드도 똑같아

* 독일의 소설가로 정확하고 유려한 언어를 구사하여 독일 근대소설에 새로운 기틀을 마련했다.

** 일본 고유의 시 와카(和歌)를 이용한 전통적인 카드놀이. 와카를 읊는 사람이 와카의 앞부분을 읊으면 해당 와카의 뒷부분이 적힌 카드를 먼저 골라내는 게임이다.

요. 더 극단적으로 말하면, A라는 카드와 B라는 카드를 두세 장씩 뿌려 놓고 A라고 읽으면 뿌려 놓은 A라는 카드를 남김없이 채가면 되는 거죠. 혹시 우타가루타에 가치가 있다고 한다면, 시를 100수 외워두기만 하면 똑같은 가사로 시작되는 노래가 몇 개 있는지 기계적으로 찾지 않아도 되는 재미라고나 할까요. 저도 그런 것으로 기억에 부담을 주기보다는 뭔가 더 괜찮은 걸 외우고 싶네요."

"정말이지 그런 걸 하면 소리의 맑고 탁함도 모르고 가사의 뜻도 모르고 아무것도 모르면서 그냥 읊고 취하기만 하는 진짜로 틀에 박힌 사람들routiniers에게 우롱당하는 게 싫어요."

"그렇다면 당신에게는 아직 약간의 경쟁심이 있는 거예요."

"젊어서 그런 거겠죠."

"글쎄요."

두 사람은 다시 얼굴을 마주 보며 웃었다.

준이치의 웃는 얼굴을 볼 때마다 어쩜 남자 눈매가 저렇게 곱상한가 하고 오무라는 생각했다. 그와 동시에 문득 동성애라는 말이 머릿속에 떠올랐다. 사람의 마음에는 바닥을 알 수 없는 암흑의 경계가 있다. 보통은 자기보다 윗사람하고만 교제하길 좋아하는 자신이 우연히 이 청년을 만난 후로는 다른 교제를 멀리하고 여기만 온다. 평소 남을 가르치듯 말하는 걸 제일 싫어하고 그런 말을 들어줄 상대를 찾는 일은 떳떳하지 못하다고 생각했던 자신이 이 청년에게만큼은 수다스러워지고 거리낌이 없다. 자신은 동성애자homosexuel는 아니지만 평범한 사람에게도 마음속 어딘가에 그런 싹이 잠재해 있는 게 아닌가 하는 생각이 잠깐 머리를 스쳤다.

잠시 후 오무라가 벌떡 일어났다. "이제 가봐야겠어요. 이제부터 뭐 할 거예요?"

"아무 계획도 없어요. 일단 근처까지 배웅할게요."

아직 오후 2시도 되지 않았다. 준이치는 대학 제복을 입은 오무라와 함께 하쓰네초의 하숙집을 나와 단고자카 거리로 향했다.

출입문마다 대나무에 소나무를 한데 엮어서 세워 놓고 옆에 금줄을 쳐 놓았다. 시끌벅적한 술집과 청과물 가게들 속에서 상술 때문인지 예쁘게 종이를 바른 표구점 같은 고즈넉한 가게도 있다. 가게마다 새해맞이 단장을 하고 분주하게 일하는 이들도 평소와 달리 활기차다.

이 동네 북쪽에 입구가 비좁은 고물상이 하나 있다. 야나카는 절이 많은 곳이라 그런지 빨간 칠이 군데군데 남아 있는 목탁이나 호분이 벗겨진 목상이 고철과 짝이 맞지 않는 찻잔 접시들 사이에 섞여 있다. 천장에는 와니구치鰐口*

* 신사나 절 정면 처마에 매단 징. 참배객이 줄을 당겨 소리를 울리고 기원을 올린다.

와 경이 다 시들어버린 쓰리시노부*처럼 매달려 있다.

준이치는 항상 이 길을 지날 때마다 이곳을 기웃거린다. 물론 진귀한 물건을 찾아 골동품 가게 앞에서 발걸음을 멈추고 선 노인의 마음과는 다르다. 준이치가 기웃거리는 이유는 일종의 호기심 때문이다. 고향에 잡동사니만 모아둔 창고가 하나 있다. 무슨 용도로 쓰였는지 알 수 없는 그릇, 부서져서 어디서 나온 조각인지도 알 수 없는 쇳조각과 나무토막이 있다. 준이치는 어렸을 때 하루 종일 그 안에 들어가 딱히 무얼 찾겠다는 목적도 없이 잡동사니를 헤집고 있던 적이 있다. 돌아가신 어머니가 밥 먹을 때가 다 되어도 준이치가 보이지 않아 이리저리 찾다가 그 창고까지 와서 눈을 동그랗게 뜨고 놀라던 모습을 기억하고 있다.

이 고물상을 들여다보는 건 그때의 추억 때문이다. 일종의 탐험이다. 녹슨 철병, 땜빵한 흔적이 남아 있는 접시 같은 게 저마다 삶의 폐허ruine를 말해준다.

오늘 보니 주위의 영향을 받지 않고 남아 있는 곳은 이 가게뿐이다.

준이치가 고물상을 둘러보는 모습을 보고 오무라가 말했다. "당신은 참 여러 가지 취미가 있네요."

"아니에요. 신기한 물건이 많아서 보고 가는 게 습관이

* 여름에 넉줄고사리의 뿌리와 줄기를 구부려 여러 모양으로 만들어 처마에 달아 시원해 보이게 하는 풍경 같은 장식.

돼버렸어요.”

“머릿속이 저 가게처럼 된 사람도 있죠.”

두 사람은 실없는 이야기를 나누며 야마오카 뎃슈*가 지은 젠쇼암全生庵 종루 앞을 내려갔다.

그때 밑에서 올라오던 여학생 한 명이 오무라에게 인사했다. 고개를 숙이고 걷다가 흐트러진 챙머리의 머리칼을 살짝 옆으로 기울이면서 번개처럼 빠르고 날카롭게 힐끗 쳐다본다. 두 사람의 용모, 태도, 성격까지 한눈에 꿰뚫어 보는 듯한 눈빛이었다.

오무라가 사각모를 벗고 답례했다.

준이치는 그저 여학생이구나 했다. 안에 책이 든 것 같은 보라색 보따리를 손에 들고 있는 것 외에 목 아래와 손목을 리본으로 맨 셔츠, 짙은 보라색 하카마가 눈에 들어왔을 뿐이다. 실제로 여학생은 그다지 남들과 다르지 않은 행색이었다. 잔무늬가 들어간 기모노에 하오리는 그보다 약간 무늬가 크다. 하카마 아래에 두른 청자색 바탕에 빨강과 연두색으로 화려한 문양을 낸 오글쪼글한 허리띠는 준이치에게는 보이지 않았다. 셔츠 위에 겹쳐 입은 흰 속옷의 옷깃이 기름때가 끼어 누르뎅뎅했지만 그것 역시 준이치는 보지 못했다.

* 일본 막부 시대 말기-메이지 시대에 활약한 정치가이자 검술가로 검술 학교의 창시자로 유명하다.

그보다 준이치에게 강렬한 인상을 남긴 것은 얇은 호박색 살가죽 밑에 안면 근육이 훤히 들여다보이는 듯한 여자의 얼굴과 굉장히 날카로워 보이는 눈빛이었다.

어떻게 아는 사이일까? 준이치가 내심 궁금해지려는 찰나, 오무라가 혼잣말처럼 중얼거렸다. “이상한 여자를 만났네.” 그리고 둘이 거의 동시에 뒤돌아보니 여자는 이미 저만치 멀어져 갔다.

내리막길에서 다시 비탈길을 오르는데 오무라가 묻지도 않은 말을 했다.

오무라가 처음 그 여자를 만난 것은 작년 ‘여학계’라는 잡지의 친목회에 갔을 때였다. 어떤 젊은 피아니스트의 로쿠단[*] 연주를 따분하게 듣고 있는데 늦게 도착한 여학생 한 명이 의자가 없어서 주뼛거리고 있었다. 그래서 자기 의자를 양보하고 옆에 서 있는데 그때도 역시나 들고 있던 책보따리의 모서리가 뒤집혀진 곳으로 사이구사三枝라고 쓰여 있는 글씨가 눈에 들어왔다. 그 무렵 오무라는 ‘여학계’의 주필에게 부탁을 받아 단가를 선정하는 일을 했는데 종종 아주 대담하고 열정적인 단가를 뽑은 적이 있었다. 그때 뽑은 작가의 이름이 사이구사 시게코였다. 사이구사라는 성이 흔치 않은 성이라 혹시나 싶어 물어보았다. “시게코

* 일본 에도시대에 활약한 거문고 작곡가 야쓰하시 겐교(八橋檢校)가 작곡한 거문고 명곡.

씨인가요?" 그러자 거의 동시에 여자도 말했다. "오무라 선생님이시죠?" 그 후 대화가 무르익어 이런저런 이야기를 주고받던 중에 오무라가 외국어를 하냐고 묻자 독일어를 한다고 답했다. 독일어를 하는 여자를 오무라는 이때 처음 보았다.

친목회 다음 날 오무라의 집으로 시게코의 엽서가 도착했다. 그리고 또 얼마간 시간이 흐른 어느 날, 시게코가 오무라의 하숙집으로 불쑥 찾아왔다. 주더만Sudermann*의 『황혼Zwielicht』을 들고 모르는 부분을 물으러 온 것이다. 특별히 엉뚱한 질문은 아니었다. 하지만 묻지 않은 부분을 다 알고 있는지 어떤지 확인해 볼 만큼 오무라는 짓궂지 않았다.

그리고 그다음에는 『당치 않아Nicht doch』라는 토포테Tovote**의 단편집을 들고 왔다. 먼저 " '니히트 도흐'를 뭐라고 번역하면 될까요?"라는 질문을 받고서 오무라는 어지간히 질렸다고 한다. 이 이야기를 할 때 오무라는 준이치에게 그 독일어 특유의 어감을 설명했다. 프랑스어로 포앙 뒤 투point du tout***나 네 니다nenni-dà****와 약간 비슷한데 딱 맞아떨어지지 않는 어감이다. 아주 평이하게 쓴 아주 천박한 싸

* 독일의 자연주의 극작가이자 소설가.

** 독일의 소설가. 애욕에 대한 묘사에 뛰어났다.

*** '전혀 –하지 않다'는 뜻.

**** '아니다', '그렇지 않다'는 뜻.

구려 갈채를 속된 독자들에게 요구하는 토포테의 책 맨 처음에 나오는 단편을 읽어 보면 약간 답답한 게 흠이긴 해도 앞뒤 문장을 보면 '니히트 도흐'를 모를 수가 없다. 그걸 알면 이 단어를 설명하는 데 필연적으로 따라오는 구체적인 사례가 뭔지 알아야 한다. 실제로 독일어를 조금이라도 할 줄 안다면 그런 정도는 안다. 그걸 알고 있으면서 아무런 저의 없이 이런 질문을 할 정도로 시게코는 순수한innocente 걸까? 그러면 고손[*]의 말처럼 '보라색 화살깃처럼 지나치게 유행하는' 그것으로 그 사람이 항상 짓는 거의 폭로에 가까운 노래를 지을 수 있을까? 겨우 열여섯 먹은 여자애한테 그런 것이 있을까? 아니면… 오무라는 더 이상 생각하지 않았다고 한다.

시게코는 그 후로 더 이상 찾아오지 않았다. 오무라의 말로는 두 사람은 원래 서로 간에 호기심으로 접근했지만 저쪽도 이쪽도 원하는 바를 얻지 못했다. 그래서 은혜도 없고 원망도 없이 헤어졌다. 물론 다가온 것도 멀어진 것도 저쪽이 주도했지만, 이쪽도 호기심은 있었으니 대놓고 움직이지 않았다 해도 영합하고 유도한 책임은 면할 수 없다고 오무라는 웃으며 말했다.

오무라가 이렇게 말하고 말을 끊었을 때 두 사람은 길에서 안쪽으로 들여세운 문이 있는 세손인世尊院 절 앞을 걸었

* 아에바 고손(饗庭篁村). 일본의 작가이자 연극평론가이자 서예인.

다. 춥지도 않은지 아이들 한 무리가 문 앞 공터에서 술래잡기를 하고 있다.

"대체 어떤 여자예요?" 준이치가 불쑥 물었다.

"글쎄요. 단가를 보면 감정대로 움직이는 사람 같은데 막상 만나보니 만만치 않은 여자였어요."

"신기하네요. 어떤 집안의 아가씨죠?"

"물어본 적도 없고 저쪽도 말한 적 없지만 나중에 다른 사람한테 들으니 모친이 교바시 근처에서 사는데 안마 간판을 내놓고 있더래요."

"뭔가 섬뜩하네요."

"그러니까요. 저도 그 소릴 들었을 때 이상한 생각이 들었고 또 당신 말처럼 섬뜩했어요. 그렇게 생각해서 그런지 그간의 행동을 다시 떠올려 보니 나이는 열여섯밖에 안 됐지만 이미 무슨 사연이 있는 것 같은 느낌이었어요. 이것도 그 여자의 집안에 대해 말해준 남자가 그러는데, 시게코는 원래 여의사가 되겠다고 의대에 들어갔는데 남자들 속에 섞여서 선택과목으로 독일어를 배운 모양이에요. 그 후에 몇 번이나 학교를 옮겼는지 모른대요. 여학교에서는 영어와 프랑스어 말고는 가르치지 않아서 그랬겠지만 의학을 그만두고 나서도 남자들만 다니는 사립대학을 전전한대요. 어떤 관립대학에서 독일어를 가르치는 교사의 하숙집에 매일 드나들며 그 교사와 함께 걷는 모습이 목격된 적도 있어요. 그분도 이상한 여자라고 하더라고요. 어쨌든 의심스러운problématique 여자예요."

두 사람은 사카나마치 거리로 접어들었다. 석재상의 창고 근처를 지날 때 오무라가 자기 하숙집에 들렀다 가라고 권했지만 딱히 떠날 채비를 할 건 없어도 편지 두세 통을 써 보내야 한다는 말을 듣고 준이치는 정중히 거절하며 장의사집 길모퉁이에서 헤어졌다. "오 르브아르Au revoir(또 봐요)!"라는 한마디를 남기고 좁은 골목길을 성큼성큼 걸어가는 오무라를 준이치는 잠시 바라보다가 얇은 저녁 옷을 갈아입기 시작한 거리에서 오이와케 정거장 쪽으로 향했다. 점등 회사 인부가 발판을 한 손에 들고 종종걸음으로 스쳐 지나갔다.

22

하코네 유모토의 가시와야柏屋라는 온천여관의 작은 다다미방에 준이치가 홀로 얼굴을 찌푸리고 앉아 있다.

오늘은 섣달그믐이라 장사와 새해 준비로 여관 직원들은 분주했지만 손님이 적어서 준이치가 있는 방에는 거의 아무 소리도 들리지 않았다. 다만 하야카와 강의 물소리만 요란하게 들렸다. 이토* 공이 반절 종이에 쓴 칠언절구를 걸어둔 도코노마 앞에 가방이 열려 있고 그 옆에 가제본한 8절판 원서가 두세 권, 그리고 큰 판형으로 된 프랑스 잡지 한 권이 펼쳐져 있다. 페이지는 세로로 절반씩 나눠서 인쇄되어 있고 삽화가 그려져 있다. 고향 집에 우편으로 도착한 연극잡지 『릴뤼스트라시옹 테아트랄L'Illustration

* 이토 히로부미. 일본의 초대 총리 자리에 오른 정치인으로 생전에 하코네 유모토에 자주 묵었다고 한다.

théâtrale』을 도쿄로 올 때 그대로 가방에 넣어 온 것이다.

어제 저녁에 도쿄를 떠나 지금 하코네에 와 있다. 도착하자마자 곧장 깨끗한 온천물에 기분 좋게 몸을 담갔지만 구태여 이번 여행을 감행한 자신이 준이치는 몹시도 불만스러웠다. 그 불만이 자기도 모르게 얼굴에 나타난 것이다.

오무라가 근교로 여행을 떠나서 딱히 친구가 없었다. 연말 대도시에서 외로움이 사무치는 것도 무리는 아니다. 하지만 준이치는 지금까지 사람들과 이삼일 이야기를 나누지 않고 지내더라도 책만 있으면 딱히 외롭다고 느낀 적이 없었다.

외로움. 준이치가 하코네까지 온 이유는 과연 외로움 때문일까? 고독Solitude 때문일까? 아니다. 아쉽게도 그렇지 않았다. 니체의 표현대로라면 준이치는 혼자einsam가 두려운 게 아니라 둘만zweisam의 시간을 원했다.

그것도 사랑 때문이라면 변명이라도 될 것이다. 준이치는 사카이 부인을 사랑하는 건 아니다. 준이치를 움직이는 게 무엇인지 파헤쳐 보면 결국 동물적인 충동 때문이라 말하지 않을 수 없다. 그것만큼은 결코 두둔하거나 좋은 말로 포장할 여지가 없을 것이다.

도쿄를 떠나는 30일 아침, 준이치는 괜히 울적한 마음을 흐린 날씨 탓으로 돌렸다. 책을 읽어도 도무지 흥미가 생기지 않았다. 오후부터 날이 개면서 장지문으로 햇살이 비치기에 조금 기분이 나아질까 싶었지만 예상과 달리 마음속 깊이 가라앉아 있던 불안덩어리가 의식의 수면 위로 떠올라 그게 눈덩이처럼 커지면서 비이성적인 의지의 비명이 들리기 시작했다. 준이치는 '하코네로, 하코네로'라는 외침에 채찍질당해 출발한 게 틀림없다.

준이치는 오후가 되자 채비를 서둘렀다. 대충 눈에 보이는 물건들을 고향에서 가져온 가방 안에 주섬주섬 주워 담다가 너무 커서 불편할 것 같아 보자기에 쌌다. 그런 다음 도쿄에 올 때 사 온 낙타털로 짠 무릎 덮개를 꺼냈다. 그리고 집주인 할머니에게는 새해 인사를 다니기 번거로워서 하코네에서 신년을 보내고 오겠다고 말하고서 인력거를 불렀다. 사실 도쿄에 있다고 한들 새해 인사를 드리러 갈 곳은 한 집도 없었다.

너무 갑작스러운 통보에 놀라서 눈이 휘둥그레진 할머니의 배웅을 받으며 준이치는 인력거를 타고 신바시로 서둘렀다. 연말이라 밤인데도 사람들로 북적이는 긴자를 지날 때 문득 볼품없는 보자기를 보고 도모에야鞆繪屋에 들러 작은 가방을 사서 보자기를 그대로 가방에 쑤셔 넣었다.

신바시에서 출발 시간을 알아보니 7시 50분발 열차가 막 떠난 후였고 다음 열차는 9시에 떠나는 급행이었다. 고우즈에 도착하는 시간이 10시 53분일 테니 적당한 시각에 하코네까지 도달하긴 글렀다. 뭐 어쩔 수 없지. 그냥 되는대로 해야지 하고 준이치는 결국 9시에 출발하는 열차를 타기로 했다. 그리고 가방과 무릎 덮개를 역무원한테 맡기고 표도 사 달라고 부탁한 다음, 2층에 있는 쓰보야라는 도시락 집으로 올라갔다. 아직은 서양 레스토랑인 도요켄東洋軒으로 바뀌지 않았다.

식품진열대 앞을 지나 맨 처음 식당으로 들어가 보니 마침 저녁 식사 시간이 지나서 안은 텅 비어 있었다. 고풍스러운 벽난로에서는 코크스 불씨가 지저분하게 재를 뒤집어쓰고 있고 전등 하나가 기세 좋게 불을 밝히고 있다. 준이치는 모자와 망토 달린 코트를 벽에 걸고 식품진열대와 벽 하나를 사이에 둔 자리에 앉았다. 그리고 메뉴를 2개 주문한 후 구색을 맞추느라 가져오게 한 맥주를 홀짝였다.

하쓰네초의 집을 나설 때까지만 해도 초조했던 준이치의 마음은 이제 기차에 몸을 싣기만 하면 드디어 하코네에 간다는 생각에 밀물이 밀려가듯 서서히 가라앉았다. 그리고 이런 생각을 했다. 평소 나는 세토처럼 천박한 인간을 보면 그 사람과 나는 하늘과 땅만큼 큰 차이가 있다고 생각했다. 특히 성욕과 관련된 행위는 만약 순간적으로 움직이고 우연히 제공된 수용을 용납할지 물리칠지만이 문제가 된다면 그것은 용서해야만 한다. 처음부터 계획하고 더러운 짓을 하는 건 너무 비열하다. 세토는 유곽에 갈 작정으로 집을 나선다. 나는 절대 그런 짓을 하지 않겠다고 다짐했다. 그런데 지금 일부러 하코네에 간다. 이러다가 결국 타락해서 세토와 같은 인간이 되는 게 아닌가 하는 생각이 든다. 이 생각은 준이치에게 몹시도 자존심fierté 상하는 일처럼 느껴졌다. 그래서 준이치의 의식은 무리한 변호를 시도했다. 하코네에 간다고 해서 꼭 사카이 부인과의 관계를 이어가려는 건 아니다. 거기 가보면 어떻게 되겠지. 거취의 자유는 아직 내게 있다.

이런 생각에 잠겨 있는 동안 종업원이 햄에그인지 뭔지를 가져다주어서 준이치가 그걸 먹고 있는데 한 여자가 들어왔다. 박봉의 가정교사 같은 마르고 못생긴 여자였다. 작대기같이 꼿꼿한 몸에 바싹 당겨 묶은 올림머리 아래로 가늘고 긴 목을 훤히 드러내고 있었다. 들고 온 양산을 의자에 비스듬히 세워두고 하필 걸터앉은 자리가 준이치가 앉은 자리와 대각선 방향에 있는 구석 테이블이라 준이치의 눈에는 여자의 좁은 등이 보였다. 커피에 크림을 주문했는데 크림을 갖다주자마자 크림을 더 달라고 하더니 날름날름 핥아먹었다. 그러더니 다시 더 달라고 한다. 보고 있는 동안에 네 접시나 핥아먹었다. 아무래도 평생에 한 번 크림을 배 터지게 먹어보자는 심산으로밖에는 보이지 않았다. 준이치는 왠지 섬뜩해져 밥맛이 떨어졌다. 이를테면 로마인이 상상하던 유령lemures 하나가 무리를 벗어나 숨어든 느낌이었다. 그리고 여기에는 불교에서 말하는 아귀의 이미지도 한몫했는지도 모른다. 어쨌든 미신을 믿지 않는 준이치였지만, 어쩐지 이 여자를 보니 여행이 불행으로 막을 내릴 것 같은 징조처럼 느껴졌다.

급행열차가 출발하는 9시가 점점 다가오자 승객들이 하나둘 방으로 들어왔다. 개중에는 노인과 애들이 섞인 무리도 있어서 준이치는 그제야 마음이 밝아졌다. 어느 학교 제복을 입은 열대여섯 살쯤 된 소년이 난롯불의 불씨를 키우며 동생들을 불렀다. "다들 이리 와." 누군가가 식사를 주문했다. 누군가가 주문한 음식이 아직 나오지 않았다며 불평했다.

떠들썩한 가운데 어느새 시간이 다 되어 저마다 하나씩 자리를 뜨기 시작했다. 크림을 먹던 불길한 여자femme omineuse도 이때 우뚝 일어나 양산을 몸에 바짝 붙이듯이 들고서 밖으로 나갔다. 역무원이 준이치가 있는 쪽으로 표를 들고 재촉하러 왔다.

플랫폼은 사람들로 북적거렸지만 준이치가 탄 이등 객실은 역무원의 도움을 받지 않고도 뒤에 들어온 승객들도 좌석을 수월하게 구할 수 있을 만큼 여유로웠다. 건너편에 아내와 함께 자리에 앉은 남자가 말했다. "오히려 일등 객실이 더 복잡해."

기차가 움직이기 시작하자 준이치는 가방을 열어 무릎 덮개 안쪽을 뒤져 책 한 권을 끄집어냈다. 『파랑새』와 똑같은 파란색 표지에 겉모양이 똑같은 앙리 베른스타인Henry Bernstein의 『도둑Le voleur』이다. 시시한 책이라는 건 알고 있지만 대중적으로 인기 있는 각본이라 드라마라기보다는 오히려 연극 같은 점을 참고삼아 봐두려고 주문했다가 읽지 않고 그대로 둔 책이었다.

상아로 된 작은 종이칼로 첫 부분을 조금 잘라 제목과 인물이 소개된 부분을 넘기고 1막의 대화를 읽었다. 재치있고 가벼워 별로 애쓰지 않고 이야기를 이끌어가는 대화라는 것은 금세 알 수 있었다. 따분하지는 않지만 그렇다고 흥미롭지도 않다.

두세 페이지 읽었더니 눈이 피로해졌다. 불빛이 어두운 데다 누르뎅뎅한 종이에 조그만 글씨로 인쇄된 분책판 책이 기차가 흔들릴 때마다 눈앞에서 아른거리니 버틸 재간이 없다. 오무라가 활동사진은 눈에 해롭다고 말했던 기억이 난다. 게다가 옆자리에 앉은 장사꾼 같은 남자가 옆에서 대놓고 들여다보는 것도 불편했다.

읽다 만 페이지에 손가락 하나를 끼워 넣고서 덮은 책을 무릎 위에 올려둔 채로 준이치는 잠시 맞은편 차창으로 시선을 돌렸다. 기차는 시나가와에 잠깐 정차한 후 거침없이 달렸다. 이따금 새카만 어둠 속을 어딘가의 불빛이 유성처럼 뒤로 내달린다. 느닷없이 조금 커다란 불빛이 창문으로 닥쳐왔다. 기차는 덜컥거리며 어떤 작은 정거장을 지나간다.

준이치는 문득 아무런 이유도 없이 고향 생각이 났다. 할머니의 편지는 정기간행물처럼 규칙적으로 온다. 내용은 만날 똑같다. 고향의 '시간'은 한결같은 모습으로 흘러간다. 답장은 늦을 때도 있고 빠를 때도 있다. 길게 쓸 때도 있고 짧게 쓸 때도 있다. 게다가 그것이 툭하면 늦어지고 짧아지기 일쑤다. 자상하고 다정다감하게 쓰려고 노력은 하지만 막상 종이를 마주하면 쓸 말이 없어 당혹스럽다. 아련하고 뭐라 설명하기 힘든 본능 같은 것 말고는 할머니와 자신을 이어줄 정신적인 교감 같은 게 없다. 하지만 편지를 쓸 때만 그렇지 막상 고향에 돌아가서 만나면 할 이야기가 없는 건 아니다. 이렇게 생각하니 새해에는 꼭 내려오라는 말을 줄곧 들었으면서 고우즈國府津에서 내리는 게 왠지 죄스러워져 준이치는 약간 양심의 가책을 느꼈다.

옆자리의 장사꾼 같은 사내가 신문을 읽기에 준이치는 다시 각본을 펼쳐 조금 읽었다. 여주인공 마리 루이즈의 돈이 탐이 난 재봉사 파킨의 대금이 불어나는 모습 같은 것이 관능적인 욕망을 숨기거나 드러내는 남편과의 대화 속에 슬쩍슬쩍 던져져 있다. 계략과 성욕을 하나로 엮어서 따분하지 않게끔 이야기를 끌고 가는 작가의 솜씨만큼은 일품이다. 무대에 쏟아지는 시선은 지루하지 않으리라 짐작이 간다. 하지만 읽는 사람의 마음에는 아무런 동요도 일어나지 않는다. 결국 이 정도면 각본의 연극적인théâtral 일면을 순수하게 발전시켰다고 생각했다.

눈이 근질근질해져서 책을 덮고 밖을 보았다. 기차가 달리는 방향이 조금 바뀌어 바람이 연기를 옆으로 날려버리듯 환한 불빛이 창밖의 어둠 속에서 혜성의 꼬리처럼 뒤로 날아간다. 눈이 나아지자 다시 책을 읽는다. 이 각본의 다음 내용을 계속 읽고 싶은 이유는 마치 탐정소설의 뒷이야기가 궁금해지는 것과 같다. 돈을 훔친 마리 루이즈가 탐정에게 들키려는 순간, 이 여자를 사모하는 청년 페르낭이 대신 죄를 뒤집어쓴다. 번뇌의 구름이 갑자기 무고한 청년과 돈을 도둑맞은 부모의 위에 드리워진다. 그런데도 전혀 아랑곳하지도 않고 너무나도 마음 편한 마리 루이즈는 침실에서 남편과 시시덕거린다. 양으로는 거부하고 음으로는 재촉하며 여자는 남편에게 자신의 잠자리를 준비하게 한다. 반은 마시고 반은 내뱉는 대화와 함께 여자의 옷이 죽순을 벗겨내듯 한 꺼풀 한 꺼풀 벗겨진다. 어차피 도쿄의 극장에서 상연될 만한 장면은 아니다. 여자의 지갑이 나온다. "당신 항상 내 사진 가지고 다녀?" "네, 항상 가지고 다녀요." "한번 볼까?" "보여주기 싫어요." "왜?" "절대 안 돼요." "그러니까 더 보고 싶은데." "금방 돌려주면요." "돌려주지 않으면?" "평생 당신하곤 말도 안 할 거예요." "뭔가 수상한데." "전 미신을 믿어요. 그건 보여주면 안 돼요." "정말 이상하군. 그렇게 기를 쓰고 숨기는 게 수상해." "열어보면 안 돼요." "열어볼 거야. 바람난 놈 사진을 봐야겠어." 이런 대화 끝에 지갑이 열린다. 큰돈이 나온다. 뜨거운 사랑의 말이 얼음처럼 차가운 의심의 말로 바뀐다. 준이치는 눈이 아픈 것도 잊고 브라질로 가게 되는 청년을 가여워하며 마리 루이즈가 자백하는 부분까지 단숨에 읽어 내려갔다. 그리고 책을 가방에 찔러 넣었다. 조롱당한 듯한 기분이 들었다.

얼마 후 기차가 고우즈에 도착했다. 준이치는 낯선 동네라 너무 늦지 않게 묵었다가 내일 아침에 하코네에 가려고 마음먹었다. 가방과 무릎 덮개를 들고 훌쩍 정거장을 나와 보니 유난히 커다란 소나무 너머로 조용한 밤바다가 펼쳐져 있다.

숙소는 아직 모두 열려 있고 등불 아래에서 여종업원이 분주히 일하는 모습이 보였다. 가까운 한 집에 불쑥 들어가서 자고 가겠다고 말했다. 바지런히 준비를 마친 단정한 여종업원이 분주한 발걸음을 멈추고 현관에 버티고 서서 준이치를 머리끝에서 발끝까지 훑어보았다. "빈방이 없습니다. 죄송하게 됐네요." 그러고는 휙 등을 돌려 안으로 들어가버렸다.

다음 숙소에 갔다. 똑같이 거절당했다. 세 번째 집도 네 번째 집도 마찬가지였다. 망토 달린 코트를 입고 가방과 무릎 덮개를 든 모습이 변변치 않아 보일 수는 있다. 그래도 숙소에서 꺼리고 받아주지 않을 만큼 형편없어 보이는 것도 아니다. 혼자 온 손님을 받아주지 않는다는 이야기는 언젠가 어렴풋이 들은 기억은 있지만 그런 일이 나름대로 번화한 지역에서 지금 있을 것 같지 않았다. 실제로 도쿄에서는 아무 문제없이 받아주지 않았는가.

이상하긴 해도 누구한테 물어볼 수도 없는 노릇이다. 동화에 나오는 마녀로 둔갑한 사람이 된 것 같은 기분이 들었다.

준이치는 결국 파출소에 가서 묵을 만한 곳을 찾아달라고 부탁했다. 순사는 마흔 정도 된 냉담하고flegmatique 졸린 듯한 과묵한 남자로 준이치가 부당하게 숙소에서 거부당했다는 이야기를 듣고도 가타부타 말이 없었다. 테두리가 까맣게 그을린 화로에 가랑이를 벌리고 앉아 있다가 귀찮아하며 의자에서 일어나더니 탁자 위에 놓인 손전등을 들고 앞장을 섰다. "이쪽으로 와요."

순사가 준이치를 데리고 가다 멈추어 선 곳은 준이치가 여태껏 문을 두드렸던 신축 여관과 달리 벽과 기둥이 새까맣게 그을린 집이었다. 굳게 닫힌 문을 열게 하더니 순사가 뭔가 말을 주고받았다. 결론은 금세 난 모양이다. 안에서 무명 솜옷 안에 유카타를 겹쳐 입은 상고머리 남자가 나와 준이치를 안으로 들여보냈다. 순사는 손전등을 밝히며 돌아갔다.

준이치는 깜깜하고 좁은 계단을 밟고 2층으로 올라갔다. 계단 어귀에 난간이 둘러져 있었다. 2층은 툇마루가 없는 다다미 열대여섯 장쯤 되는 넓은 방이었다. 굳게 닫힌 덧문 말고는 창호가 없었다. 상고머리 남자는 안에 석유램프를 넣어둔 초롱불을 손에 들고서 안내하더니 오래된 다다미 위에 등불을 내려놓고 준이치의 앞에 무릎을 꿇었다.

"지금 주무시겠습니까? 따로 필요하신 게 있으십니까?"

준이치는 어쨌든 지붕 밑으로 들어왔구나 하고 무슨 생

각을 할 겨를도 없이 그저 멍하니 있었다. 지붕 밑으로 들어왔다는 안도감에 그 대가로 뭔가 시키는 게 좋겠다는 생각이 들었다.

"뭔가 안주가 있으면 술 한 병만 주세요. 밥은 먹었어요."

"생선조림이 있습니다."

"그걸로 주세요."

상고머리 남자는 형식적으로 구비해 둔 도코노마 옆에 있는 서랍을 열었다. 이런 2층 방에도 도코노마가 있었다. 그러고는 이불과 잠옷, 곡식을 넣은 베개를 꺼내 바닥에 깔아 놓고 아래층으로 내려갔다.

준이치는 멀뚱히 서서 잠시 바닥을 내려다보았다. 이 집은 방석 같은 사치스러운 물건은 내놓지 않아 모자를 던져 둔 채 여태 앉지 않고 서 있었던 것이다. 이불은 줄무늬를 구분할 수 없을 만큼 더러웠다. 베개를 싼 흰 무명도 꼬질꼬질하게 기름때가 절어 있었다.

준이치는 머뭇머뭇 요 위에 앉아 시계를 꺼내어 보았다. 벌써 12시가 다 되었다. 뭐라 형언할 수 없는 불쾌함이 젊고 탄력 있는 마음조차 짓누른다. 이 지저분한 집에 묵는 게 불쾌한 게 아니다. 온실 속의 화초처럼 자란 그였지만 유약한 샌님efféminé이 되고 싶지 않다고 줄곧 생각해왔다. 종종 일부러 스파르타식으로 살아보려고 마음먹을 정도였다. 하지만 자기 의지로 자진해서 고난을 겪는 게 아니라면 싫다. 타의에 의해, 주위에 떠밀려 마지못해 어려움을 겪고 싶지 않았다. 처음에 숙박을 거부당하고 나서 어느 심술궂은 마녀의 위력이 자신에게 가해지듯 한 걸음, 한 걸음 불쾌한 세계로 빠져드는 것 같다. 그게 견딜 수 없을 만큼 싫었다.

상고머리 남자가 화로를 가지고 올라왔다. 유약을 발라 너무 번쩍거리는 남색 도기로 된 원형 화로였다. 그 뒤로 어깨띠를 동여맨 열네다섯쯤 된 소녀가 주문한 술안주를 가져왔다. 술 한 병과 잔 하나, 비릿한 생선 한 토막이 곁들여 있다. 소녀는 들고 온 쟁반을 머리맡에 내려놓고 신기한 듯 준이치의 찌푸린 얼굴을 보더니 아무 말 없이 아래층으로 내려갔다. 남자는 호주머니에서 장부를 꺼내더니 먹통과 붓을 들고 물었다. "성함이 어떻게 되시죠?" 준이치는 도쿄의 주소와 이름을 말했지만 준純이라는 한자를 몰라서 결국 직접 써주었다.

준이치는 어떻게 잘지 고민했다. 자고 싶지는 않지만 피로와 불쾌함으로 머리에 진이 빠졌다. 어쨌든 눕기만이라도 하고 싶다. 그래서 하카마를 벗어서 베개 위에다 둘렀다. 그리고 낙타털로 된 무릎 덮개를 반으로 접어 그 사이로 이불깃에 끼우듯이 해서 뒤집어씌웠다. 이렇게 하면 얼굴과 손만큼은 불결한 것에 닿지 않는다.

준이치는 가방을 머리맡으로 가지고 왔다. 그리고 술병을 들고 따뜻하게 데운 술을 한 모금 마시고는 코트를 입고 버선을 신은 채로 무릎 덮개가 밀려나지 않게 이불깃을 살짝 쥐고 드러누웠다. 한동안은 얼굴이 달아오르고 가슴이 두근거리는가 싶더니 어느새 푹 곯아떨어졌다.

얼마나 잤을까. 비몽사몽간에 무슨 소리가 들렸다. 그러고는 이야기 소리가 났다. 남녀가 서로 이야기를 나누고 있었다. 준이치는 퍼뜩 잠이 깼다. "성함은요?" 남자 목소리다. 여자가 대답한다. 아이치현의 무슨 군 무슨 마을의 아무개 여동생 누구라고 대답하는 목소리가 젊었다. 남자가 내려간다.

모르는 여자와 둘이서 같은 공간에서 잠을 잔다고 생각하니 준이치는 이상한 기분이 들었다. 하지만 어색함과 민망함에 그쪽을 보지 않고 가만히 있었다. 잠시 후 여자가 말을 걸었다. "저기요." 분명 그에게 말을 거는 것이다. 아마도 여자는 그가 깊이 잠들어 있는 동안에 왔다가 그가 잠이 깬 것부터 일부러 여자 쪽을 보지 않고 있는 것까지 모두 알고 있는 것 같다. 준이치는 뭐라고 대꾸해야 할지 몰라 아무 말도 하지 않았다. 여자가 말했다.

"저기, 도쿄에 가려고 하는데 첫차가 몇 시에 출발하나요?"

준이치는 끝까지 여자 쪽을 보지 않고 대답했다. "글쎄요. 저도 잘 모르겠지만 가방 안에 여행안내 책자가 있는데 일어나서 봐 드릴까요?"

여자는 피식 웃었다. "아니에요. 됐어요. 어차피 깨워 달라고 부탁해 놓았으니까요."

이렇게 말하더니 여자는 입을 다물었다. 준이치는 역시 꿋꿋하게 등을 돌리고 있었다. 잠이 오지 않는지 몇 번이고 몸을 뒤척이는 소리가 들렸다. 어떤 여자인지 궁금했지만 이제 와서 보는 것도 어색하기에 보지 않았다. 그러다가 준이치는 다시 잠들어버렸다.

아침이 되어 준이치가 눈을 떴을 때에는 여자는 이미 없었다. 이런 집에서는 변소에 갈 마음도 들지 않았기 때문에 서둘러 계산을 마치고 집을 박차고 나왔다. 상고머리 남자가 가방을 들고 따라오겠다는 것도 거절했다. 이 집과의 인연을 빨리 끊고 싶었다.

유모토의 아사히 다리까지 가는 철도마차에 몸을 맡긴 채 연무를 찢어서 가져온 듯한 아침 바람에 씻지 않은 얼굴을 맞으며 소나무 숲을 헤치고 오다와라역을 지나 앞으로 나아가는 동안 고우즈에서 보낸 악몽과도 같은 하룻밤을 다시금 떠올려 보고는 같은 방에서 자고 말을 주고받았으면서 결국 모습을 보지 못한 신기한 여자가 있었다는 게 그나마 추억할 만한 일이라고 생각했다. 어디 식모살이를 하러 상경하는 못생긴 여자일지도 모른다. 그건 아무래도 상관없다. 모르는 여자와 우연히 만나 우연히 헤어진 게 재미있었다.

철도마차에서 내린 후 준이치는 일부러 사카이 부인이 있는 후쿠즈미를 피해 가시와야에 묵었다. 고우즈에서 겪었던 일 때문에 혹시 거절당하면 어쩌나 걱정했지만 별로 반기지 않았을 뿐 작은 방 하나를 선뜻 내주었다. 거취의 자유가 있느니 없느니 괜한 변명을 해보지만, 어떤 궤변을 늘어놓더라도 그 자유의 크기가 거리와 반비례할 것 같지 않다. 목욕을 하고 돌아오니 조금 기분이 나아져 가방 속에서 책과 잡지를 이것저것 꺼내 보지만 도무지 제대로 읽을 마음이 들지 않았다.

23

후쿠즈미에 갈까 말까. 이것은 준이치가 끊임없이 갈팡질팡하는 가설의 문제였다. 그러나 의식의 문턱 밑에서는 진작부터 결론이 나 있었다. 긍정하고 있다. 만약 여전히 문제가 있다면 그것은 시간문제에 불과할 것이다.

그리고 그 시간을 줄이려는 무언가가 존재했다. 그것은 자잘한 여러 기억들로 문득 마음에 새겨진 사카이 부인의 거동과 딱히 대화라고 할 것도 없는 말들이었다. 몸짓과 말이 아닌 언어Un geste un mot inarticulé였다. 그것은 시간이 지나도 사라지지 않았다. 사라지지 않는 정도가 아니다. 원석이 다듬어져 보석이 되듯이 기억 속에서 정화되고 주위에서 도드라지면서 강렬한 빛과 커다란 힘을 가진 것으로 변모했다. 책을 읽어도 페이지와 눈 사이에 그 기억이 투사되어 지금까지 더듬어 온 의미 위에 걷어낼 수 없는 장막을 드리웠다.

그 기억을 잊게 해줄 레테의 강물이 있다면 기꺼이 마시고 싶은 심정이다. 그런데 한편으로는 그 기억만큼은 버리지 않고 소중히 아껴두고 내 감정의 영역에 어떤 애잔한élégiaque 요소로 내버려 둔다 한들 그게 뭐 그리 성가신 일이겠는가 하고 변호도 해본다. 결국 고뇌이기에 베어내고 싶지 않고 달콤한 고뇌이기에 차마 떨쳐내기 힘든 것이다.

준이치는 이렇게 자신을 비웃는 소리를 듣지 않을 수 없었다. 넌 도쿄에서 일부러 하코네에 오지 않았나. 그래 놓고서 어째서 가시와야에서 후쿠즈미로 가길 꺼리는가. 이것은 준이치에게 너무도 잔혹한 목소리였다.

준이치는 여종업원에게 어젯밤 잘 자지 못했다는 불필요한 거짓말을 하고는 점심을 먹고 나서 이불을 깔아 달라 부탁하고 두 시간 정도 깜빡 잠이 들고 말았다.

눈을 뜨자 여종업원 하나가 화로에 숯을 붓고 있었다. 낯빛이 창백하고 예쁘장한 여자였다. 지금까지 밥 시중을 들거나 낮잠 잘 이불을 깔아주러 오던 여종업원과는 완전 딴판인 데다 명주로 지은 기모노를 입고 있었다.

"저, 신문을 가져다 드릴까요?"

숙였던 고개를 들고 흘끔 쳐다보더니 수줍은 듯이 묻는다.

"네. 갖다주세요."

특별히 읽고 싶어서가 아니라 그저 여자가 묻는 대로 대답한 것이다.

여자는 여전히 고개를 숙인 채 요염하게 자리에서 일어서 나갔다.

준이치가 일어나 화로 옆에 앉아 있는데 신문을 두세 부 들고 들어온 이는 방금 나간 여자가 아니었다. 행동거지도 나쁘고 목소리도 큰 데다 까닭 없이 대놓고 웃는 튼실해 보이는 평범한 여자였다. 준이치는 이 집에서 평범한 여종업원 외에 특별한 여종업원을 두고 있는 것이 특별한 용무를 위해서라고 짐작했지만 그걸 꼬치꼬치 캐묻고 싶지는 않았다.

준이치는 신문 하나를 손에 들고 문예란을 잠깐 보다가 제대로 읽지도 않고 바닥에 내려놓았다. 오무라가 말하는 패거리에 몸담고 있지 않은 준이치에게는 눈가리개를 한 것 같은 일방적인 평론은 아무런 가치가 없었다.

그 후 저녁을 먹기 전에 산책을 하러 훌쩍 숙소를 나왔다. 돌에 부딪혀 물살이 거센 개천가를 걸었다. 길 한쪽에만 집이 쭉 늘어선 거리에 숙소와 처마를 맞대고 나란히 붙어 있는 녹로 세공집이 있다. 이 지역 명물인 유모토 세공을 팔고 있었다. 가게 여주인이 기념품을 사라고 권하기에 부피가 크지 않은 이쑤시개 통이니 담배통 같은 걸 두세 개 고르고 있었다.

그때 뭔가 이야기를 나누며 웃으면서 가게 앞을 지나가는 남녀 온천객이 있었다. 여자의 웃음소리가 귀에 익어 가게 주인이 거스름돈을 계산하는 동안 장난감 팽이를 손에 들고 구경하던 준이치가 문득 고개를 들어 소리 나는 방향을 보니 뜻밖에도 사카이 부인과 눈이 마주쳤다.

부인은 감색 바탕에 하얀 잔무늬가 들어간 오글쪼글한 명주 솜옷 위에 목과 가슴 양쪽에 문양이 들어간 청자색 하오리를 겹쳐 입고, 은행잎 모양으로 묶은 머리에 진주 장식을 꼽고 검정색 거북딱지에 진주조개로 장식한 비녀를 꽂고 있었다. 준이치의 눈에는 그저 우아하고 수수하면서도 요염한 모습으로 비쳤다.

부인은 명랑한 웃음소리를 뚝 그치더니 조심스럽게discret 살짝 눈웃음을 지었다. 부인은 네기시에서 헤어지고 나서의 시간적인 거리나 도쿄와 이곳의 공간적인 거리를 전혀 상관하지 않는 듯이 너무도 편안한 말투로 말했다.

"어머, 와 계셨군요."

"네."

준이치는 당황한 목소리로, 심지어 자기 귀에도 거의 들리지 않을 만큼 작은 목소리로 간신히 대답했다.

부인은 걸음을 멈추고 같이 걷던 남자를 돌아보았다. 마흔을 넘긴 건장하고 어깨가 딱 벌어진 남자였다. 전기이발기로 민 굵은 밤송이 같은 머리털이 서리가 내린 듯 희끗희끗했지만 얼굴은 번들번들하고 혈색이 좋았다. 부인은 남자에게 말했다.

"고이즈미 씨라고 문학을 하시는 분이에요." 그러더니 준이치에게 소개했다. "이분은 화가이신 오카무라 씨예요.

후쿠즈미에 묵고 계세요. 왜 후쿠즈미에 오시지 않았어요? 제가 그렇게 말씀드렸는데."

"이름을 깜빡해서 가시와야에 묵게 됐습니다."

"어머, 잘 잊어버리시나 봐요. 저녁에 놀러 오세요." 이 말만 남기고 부인이 자리를 뜨자 그때까지 떡 버티고 서서 거인이 소인국 인간을 쳐다보듯이 준이치를 보던 오카무라 화백은 "저녁때 오게"라고 메아리처럼 똑같은 말을 되풀이하더니 부인의 뒤를 따라갔다.

준이치는 한동안 두 사람을 멍하니 바라보았다. 그 사이 가게 여주인이 잔돈을 손에 얹고 툇마루에 가만히 앉아 기다리고 있었다. 준이치는 퍼뜩 정신을 차리고 작은 은화와 큼직한 구리 동전이 섞인 잔돈을 황급히 받아 들고 악어가죽으로 된 동전 지갑에 넣은 다음 가게를 나왔다.

강 건너의 무성한 나무들은 카니발로 위장한 다리만 내민 군중처럼 어느새 저녁 안개에 잠겨버렸다. 역으로 향하는 길 곳곳에 드문드문 수력 발전으로 켠 등불이 켜지기 시작했다.

준이치는 멍하니 숙소로 향했다. 뭐라 형언하기 힘든 불쾌함과 까맣게 잊고 있던 사실이 불쑥 떠오른 듯한 공허함이 머릿속을 가득 채웠다. 그리고 준이치의 의식은 그 불쾌함이 질투가 아니라는 것을 증명하려 했지만 그것이 너무도 어려웠다. 왜냐하면 그 유모토 세공집에서 해후했을 때 만약 사카이 부인이 혼자였다면 이 불쾌함은 없었을 테니까. 준이치의 생각은 대강 이러했다. 어쨌든 그 오카무라라는 덩치 큰 사내의 존재가 자신을 자극한 것은 분명하다. 화가인 오카무라는 시조파四條派 그림으로 유명한 대가라는 것을 들은 적이 있다. 어떤 사람인지는 모른다. 그걸 굳이 알고 싶지도 않다. 그저 그 두 사람을 나란히 두고 보았을 때 마치 부부처럼 보였다는 것이 내 감정을 상하게 했다. 그 생각은 결코 편견이 아니다. 모르는 사람이 냉정한 눈으로 보더라도 그렇게 보였을 게 틀림없다. 요컨대 그 가게 여주인이라도 만약 두 사람에게 말을 걸었다면 선생님, 사모님 하고 말했을 것이다. 나는 결코 그런 남자를 부러워하는 게 아니다. 그 남자의 위치에 오르고 싶지도 않다. 하지만 아니꼬운 녀석이다. 이렇게 오카무라에 대한 증오심이 일면서 동시에 사카이 부인에게는 암흑 같은 심지어 날카로운 불평을 느꼈다. 의리 없이 약속을 어긴 여자라고 욕을 퍼붓고 싶은 심정이다. 하지만 부인이 나에게 무슨 의리가 있다는 말인가. 부인이 지켜야 할 약속이 어떤 약속이란 말인가. 이 질문에 대답할 말이 하나도 없었다. 아무리 생각해도 이 감정은 질투와 헷갈린다.

그리고 이 감정에는 쓸쓸함이 함께 자리했다. 너무나도 불쾌한 쓸쓸함이다. 오무라와 헤어진 후 도쿄에서 느낀 쓸쓸함과는 비교도 안 된다. 어렸을 때 소학교에서 친구 몇 명이 모여 뭔가 속닥거리고 있고 나만 혼자 멀리서 그 모습을 지켜보고 있었을 때 얼핏 이와 비슷한 쓸쓸함을 느낀 적이 있다. 나는 그때 열네 살 정도였다. 마침 같은 학교에 한두 살 나이 많고 깡마르고 키가 큰 오카쓰라는 여학생이 있었다. 그 애가 나를 미워해서 걸핏하면 나를 이런 상황에 빠뜨렸다. 항상 머리를 맞대고 속닥거리는 무리 한가운데에는 머리를 나비 모양으로 묶고 다른 애들보다 키가 큰 오카쓰가 있었고 오카쓰는 가끔씩 내 쪽을 돌아보았다. 뭔가 굉장히 중요한 일을 나에게 숨기는 듯했다. 그런데 무리에 있던 한 아이에게 나중에 물어보면 내가 들어도 상관이 없는 대수롭지 않은 이야기였다. 나는 그때마다 오카쓰의 재주에 탄복하며 용케도 다른 아이들을 선동해서 그런 음모complot의 그림자를 드리울 줄 아는구나 싶었다. 지금 내가 그때 일이 생각난 것은 쓸쓸한 감정 때문일 수도 있지만 곰곰이 생각해보면 그때의 감정도 쓸쓸함만은 아니었던 것 같다. 오카쓰는 질투의 싹을 내 마음속에 심어준 게 아닐까?

준이치는 이런 생각을 하며 걷다가 하마터면 가시와야의 출입문을 그냥 지나칠 뻔했다. 다행히 안에서 말을 걸어준 덕분에 정신이 들어 출입구로 들어가 앉거나 서 있는 두세 명의 남자들이 접수대의 지배인과 잡담을 떨고 있는 시끌시끌한 가게를 빠져나와 자기 방 장지문을 열었다. 여종업원 하나가 뒤에서 뛰어와 전등 스위치를 켰다.

저녁 식사를 마치고 준이치는 낮에 읽다 만 신문을 들춰

보았다. 문득 '이로이토'라는 제목의 6호짜리 활자란에 실린 여자 사진을 보니 그 밑에 '사카에야 오차라'라고 쓰여 있었다. 얼굴 절반이 인쇄 잉크에 진하게 번져 있긴 했지만 명함을 준 야나기 다리의 게이샤가 틀림없었다.

기사에는 이렇게 적혀 있었다. "사카에야에서 데리고 있는 오차라(16세)는 신입 때부터 남자를 밝힌다는 소문이 자자했는데 우자에몬이라는 배우한테 빠져 있고 뻔뻔하게 잘생긴 남자만 좋아한다고 한다. 다만 욕심이 없다는 것이 장점이라는 것이 제3자의 평이고, 이 집의 오타쓰 언니에게 걸핏하면 호되게 야단맞고 난폭한 처사를 받는다. 물론 에도시대 야나기 다리 게이샤의 풍습을 흠모하는 것은 아니지만 작금에 마쓰 씨라는 남자 직공과 뜨거운 사이가 되어 오타쓰 언니에게 한바탕 야단을 맞고 기가 죽어 있다니 참으로 안쓰럽다."

기사를 읽은 준이치는 자기도 모르게 피식 웃었다. 설령 성욕 때문이라고는 해도 자기 이익을 챙기는 걸 잊을 수 있는 여자였다는 사실이 좋은 소리를 보고 들은 것 같은 위안을 주었다. 잘생긴 남자를 밝힌다는 말이 준이치의 마음을 만족시킨 것이다. 젊은 마음은 탄력이 넘친다. 아무리 불쾌한 일이 있어서 자기를 억압하더라도 약간의 틈이 생기면 마치 기다렸다는 듯이 저절로 탄력이 원래대로 돌아가려고 한다. 준이치는 오차라의 기사를 보고 기분이 조금 나아졌다.

그때 여종업원이 와서 후쿠즈미에서 온 심부름꾼의 말을 전했다. 시간이 되면 놀러 오시라고 사카이 부인이 말씀하셨다는 것이다. 준이치는 주저 없이 지금 바로 찾아뵙겠다고 말했다. 아마도 준이치는 절대 이 초대에 응하지 않을 수 없었을 것이다. 왜냐하면 설령 마음이 상해 거절하려는 마음이 있었을지언정 비겁하게 꽁무니를 빼는 태도를 보이면 아쉬울 게 뻔했기 때문이다. 그럼에도 조금도 망설이지 않고 승낙해버린 것은 '이로이토'의 오차라가 사카이 부인에게 넌지시 언질을 해주었기 때문이라고 해도 좋다.

준이치는 곧장 후쿠즈미로 갔다.

여종업원의 안내를 받으며 3층짜리 반스이로萬翠樓 누각을 지나 안쪽의 단층으로 된 다다미방으로 다가가니 장지문으로 불빛이 환히 새어 나오고 안에서는 웃음소리가 들렸다. 우는 듯한 저음의Basse 웃음소리다. 오카무라라는 생각이 들자 이대로 돌아가고 싶은 반감이 본능적으로 일어났다.

하코네의 사카이 부인. 준이치는 그 모습을 공상으로 자주 그렸다. 울창한 천년 고목이 우거진 숲속 온천 여관에 한갓진 별채가 있다. 네기시 저택의 거실도 도회적인 요란한 분위기는 아니었지만 이곳은 또 완전히 인간과 동떨어진 장소로 그 고요함 속에서 물의 정령 온딘 같은 미인을 발견할 줄 알았다. 그런데 그보다 먼저 판*의 웃음소리를 들어야만 하는 것이다.

복도로 맞이하러 온 여자를 보니 네기시에서 본 시즈에였다.

"기다리고 계세요. 이쪽으로 오시죠." 여기에서 손님을 인계하는 모양이다. 전초선이 쳐진 것 같다고 준이치는 생각했다. 누가 엄호를 받고 있을까? 이 신성한 장소에서 오카무라라는 남자를 마주해야 하다니. 네기시에서 들떴던 마음이 여기서는 금세 식고 말았다. 역지즉개연易地則皆然이다.

"고이즈미 씨께서 오셨습니다." 다음 방에서 시즈에가 무릎을 꿇고 아뢴 후 조용히 장지문을 열었다.

"자, 이쪽으로 들어오게. 부인이 기다리셔." 먼저 말을 건넨 이는 오카무라였다. 그래도 손님을 대하는 예의는 바른 사람이다. 화로가 각자의 앞에 놓이고 차와 과자가 나왔다. 하지만 부인의 옆에 있는 간이 고타쓰는 다시금 준이치에게 불쾌감을 주었다.

시즈에에게 차를 다시 내오도록 한 다음 부인은 준이치의 얼굴을 빤히 쳐다보았다.

"언제부터 와 계셨어요?"

"온 지 얼마 안 됩니다. 오자마자 부인을 뵙게 된 거예요."

"가시와야에 미인이 있지 않소이까?" 오카무라가 끼어

* 목동과 가축의 신.

들었다.

"글쎄요. 아직 온 지 얼마 안 되어서 잘 모르겠습니다."

"그러면 곤란하지. 나는 숙소에 도착하면 제일 먼저 그게 눈에 들어오던데."

목소리도 그렇고 말투도 그렇고 이미 얼큰하게 취기가 올라 있는 듯했다.

"세상 사람들이 죄다 오카무라 씨 같으면 큰일 나죠." 부인은 준이치의 얼굴을 보며 두둔했다.

오카무라는 좀처럼 입을 다물지 않았다. "아니, 그렇지 않아요, 부인. 글쟁이들이 그림쟁이들보다 더하다니까요." 이 말을 시작으로 오카무라가 알고 있는 젊은 문학인들의 소문이 줄줄이 나오기 시작했다. 소문이라 해보았자 최근에 조금씩 이름이 나기 시작한 문학계의 보헤미안들이 오카무라가 교제 중인 요정집 마담이나 게이샤의 눈에 어떻게 비친다는 소리에 불과했다. 그러더니 『이불』*이 어떻다는 둥 『매연』**이 어떻다는 둥 하는 작품 이야기로 넘어갔다. 의외로 문학통이구나 싶어 준이치가 들어 보니 두 권 다 읽지 않은 것 같다.

준이치는 이 자리가 불편했다. 하지만 얌전한 성격이라 싫은 내색을 해서는 안 된다고 생각해 억지로 분위기를 맞

* 일본 자연주의 문학의 대표 작가인 다야마 가타이의 대표작.

** 일본 소설가 모리타 소헤이의 장편소설.

줬다. 그러는 동안에도 준이치는 이렇게 생각했다. 세상에 제기되는 새로운 문예에 대한 비난은 대체로 이런 오카무라 같은 사람이 퍼뜨리는 것이리라. 작품을 직접 읽어 보고서 이러쿵저러쿵하는 게 아니다. 그렇게 보면 작품 자체가 사회적으로 배척을 받는 게 아니라 패거리들 간의 공격적인 비평에 사회가 부화뇌동하고 있는 셈이다. 발매 금지 처분만큼은 관리들이 들추어내어 보고하는 것이지만 정부가 자연주의니 개인주의를 운운하며 문예에 간섭하려 드는 것은 틀림없이 공격적인 비평이 초래한 결과였다. 문사들은 자기가 지은 건물 밑에 갱도를 뚫어 기초를 위태롭게 하고 있다. 물론 『이불』이나 『매연』에서는 사실적인 문제도 다루고 있다. 그러나 『매연』의 소재가 된 사실만큼은 약간 제삼자에게 폭로하는 행동을 보였지만 『이불』이나 그 외의 사실들은 거의 모든 문사들 사이에서 일어난 일로 이른바 삼류 문학의 폭로에 뿌리를 두고 있지 않은가.

시즈에가 차를 다시 내와서 세 사람의 찻잔에 따르고 나간 후 부인이 말했다.

"고이즈미 씨. 당신이 너무 점잖게 계시니 오카무라 씨가 자기 멋대로 떠들잖아요. 당신도 그림쟁이들 흉이라도 보세요."

"저는 사양하겠습니다." 준이치는 웃음을 머금고 그렇게 답했다. 하지만 이 자리에 들어온 후로 툭하면 부인이 자기를 두둔하고 드는 게 점점 불쾌해졌다. 그 태도가 데

면데면한 남을 대하듯 느껴졌기 때문이다. 반면에 부인은 오카무라에게는 예의를 차릴 필요가 없을 만큼 가깝다는 걸 보여주었다. 극단적으로 말하면 꼭 부부 사이처럼 보였다.

오카무라가 준이치에게 하코네에서 뭔가 쓸 작정이냐고 묻길래 준이치는 있는 그대로 그런 계획은 없다고 대답했다. 그러자 부인이 역시나 두둔하고 나섰다. "고이즈미 씨는 아직 젊으니까 그렇게 급할 필요 없죠." 준이치는 약간 욱하는 마음에 되물었다. "선생님은 뭔가 그리십니까?" 그러자 부인은 오카무라가 올여름에 반스이로의 맹장지와 칸막이의 그림을 거의 완성했다고 말했다. 그것이 또 오카무라와의 친밀함을 보여주면서 오카무라와 부인이 여름에도 후쿠즈미에서 함께 보낸 게 아닌가 하는 생각이 불쑥 들었다.

준이치는 그것을 당장에라도 확인하고 싶은 심정이었지만 그런 질문을 던지면 말하고 싶지 않은 말을 하게 하는 것 같아 일부러 화제를 돌렸다.

"하코네는 여름이 좋지요?"

"그렇지." 오카무라는 순진하게 잠시 생각하는 모습이었다. 그리고 뭔가 생각난 듯이 광대뼈가 불거진 커다란 얼굴에 미소를 머금으며 말을 이어갔다. "아니, 여름이 좋은 것도 아니지. 여름엔 안개가 너무 자욱해서 빛을 찾아서 벌레가 날아오니까 곤란하거든. 장수풍뎅이 같은 녀석들 말이야. 도쿄에서도 풍뎅이를 잡아다가 가지고 놀잖아. 그런 놈이 오거든."

부인이 옆에서 거들었다. "정말이지 애먹어요. 장지문을 닫으면 날아와서 종이에 탁탁 부딪히잖아요. 그리고 바닥에 떨어져서 복도를 사락사락 기어다니는 걸 남자들이 물이 담긴 들통을 들고 와서 그 안에다 죄다 처넣어서 가져가잖아요."

준이치는 잠자코 이야기를 들으며 두 사람이 함께 그런 일을 겪었다는 소리인지 아니면 두 사람이 우연찮게 하코네의 여름을 알고 있을 뿐인지 의구심이 들었다.

오카무라는 신이 나서 떠들었다. "풍뎅이 때문에 어지간히 고생했죠. 그래서 복수하려고요. 그놈의 날개를 잘라다가 두꺼운 종이로 만든 수레를 접착제로 딱 붙여서 끌게 하면 계속 산 채로 질질 끄니까. 이참에 그림쟁이를 관두고 저잣거리에서 수레를 끄는 풍뎅이나 애들한테 팔아 볼까요." 이렇게 말하더니 혼자서 웃었다. 아까 그 우는 듯한 웃음소리였다.

"접착제라는 게 뭐예요?" 부인이 물었다.

"접착제 말이오? 시내에서 많이 팔아요."

"당신이 우에노 거리에서 풍뎅이를 파는 모습을 보고 싶네요."

"틀림없이 잘 팔릴 겁니다. 미쓰코시 포목점 같은 데서 아동 박람회니 뭐니 해서 온갖 장난감을 진열해서 보여주지만 아직 살아 있는 장난감은 없으니까요."

"사람들이 금세 따라하지 않을까요? 전쟁 후에 유행했던 러시아 빵처럼."

"나는 독점 판매를 할 거요."

"살아 있는 물건도 독점이 돼요?"

"글쎄요. 거기까진 아직 생각해보지 않아서." 오카무라는 또 웃었다. 그러더니 덧붙였다.

"어쨌든 귀찮은 녀석이에요. 화톳불로 날아와서 죄다 타 죽는데도 계속 오니까요."

"정말 그 화톳불은 예뻤어요."

준이치는 흠칫했다. '예뻤어요'라는 과거형을 사용한 것은 반박할 여지없이 둘이 함께 화톳불을 보았다는 사실을 증명해주었기 때문이다. 정황상 두 사람이 여름을 함께 보냈다는 사실은 이미 확실한데, 준이치는 그것을 직접적으로 묻지 않은 채 어떻게든 직접 알아내려고 날카로운 지성을 발휘해 대화를 주의 깊게 듣고 있었던 것이다.

준이치의 불쾌한 마음은 급격히 증폭되기 시작했다. 그리고 이 자리에 있는 자신이 수레의 세 번째 바퀴처럼 부수적인 존재가 아닌가 하는 의구심이 들면서 그것이 끊임없이 자신을 자극하고 급기야 더는 자리에 편히 앉아 있을 수 없을 지경에 이르렀다.

"저는 이만 실례하겠습니다." 준이치는 격한 감정이 목소리에 드러나지 않게 하려고 애쓰며 용무가 있다는 듯 시계를 꺼내 보고는 자리에서 일어났다. 사실은 시곗바늘 같은 건 눈에 들어오지도 않았고 머리도 제대로 돌아가지 않았다.

24

후쿠즈미의 출입문을 종종걸음으로 빠져나온 준이치는 밖으로 나오자 걸음을 늦추고 반스이로의 외벽을 따라 걷다가 사카이 부인이 있는 다다미방 앞에서 걸음을 멈추었다. 이 건물만 돌담을 거의 2층 높이로 쌓아 올려놓았다. 아직 덧문을 닫지 않아서 등불의 불빛이 장지문에 비쳤다. 준이치는 잠시 장지문을 올려다보았지만, 등불의 위치가 사람이 앉은 자리보다 장지문 쪽에 가까운지 사람의 그림자는 비치지 않았다.

인사를 하고 나올 때는 그런 걸 생각할 여유가 없었지만 지금 생각해보니 자신이 방에서 일어났을 때 오카무라도 함께 인사를 하고 나왔어야 하지 않을까? 아니면 어차피 내가 어린애 같아서 별로 조심하지 않았던 걸까. 아니면 나를 얕보건 얕보지 않건 간에 오카무라는 부인과 내외할 필요가 전혀 없는 사이일까. 준이치는 그걸 신경 쓰면서 불빛이 비치는 장지문을 계속 지켜보았다. 지금이라도 오카무라가 자리를 털고 일어나 돌아가는 모습이 비치지는 않을까 기다렸다. 그리고 준이치는 그걸 신경 쓰고 기다리는 자신에게 화가 났다. 연인도 뭣도 아닌 부인이 아닌가. 그 부인의 방에 오카무라가 얼마나 있든 무슨 상관인가. 그런데 나는 어째서 연연하는가. 얼마나 못난 짓인가 하고 부아가 나서 견딜 수가 없었다.

준이치는 잠시 서 있다가 누구에게 부끄러워서가 아니라 괜히 양심에 찔려 터벅터벅 걷기 시작했다. 밤이 깊어 더욱 커진 개천의 거센 물소리가 허술함을 틈타 준이치의 머릿속 어지러운 감정에 반주를 곁들이며 낮에 느낀 것보다 심한 쓸쓸함이 엄습해왔다.

가시와야에 돌아왔다. 문에 들어설 때부터 들려왔던 샤미센 소리가 하필 준이치가 머무는 방 위로 울려 퍼졌다. 여종업원이 와서 "시끄러우시죠" 하며 양해를 구했다. 어떤 손님이냐고 물으니 나고야에서 가끔 오는 손님이라고 했다. 여종업원은 물론 평범한 여자다. 특별한 여종업원은 틀림없이 2층의 손님을 대접하고 있을 것이다.

2층은 무척이나 시끄러웠다. 일부러 그믐밤을 떠들썩하게 지새우려고 왔을지도 모른다. 샤미센 소리가 끊이질 않는다. 여자가 웃는다. 중년쯤 된 여자가 주문같이 읊어댄다. "해롱해롱 신은 정직한 신이라 술 쪽을 향하시네. 어디로 잔이 갈까. 여기, 여기." 이 주문이 끝도 없이 계속 반복

된다. 한번 읊을 때마다 누군가 잔을 받겠지.

준이치는 바닥에 깔린 이불 속으로 들어가 가만히 드러누웠다. 베개에 머리를 대자 무언가가 재촉하듯 목의 맥박이 울려대는 통에 그것을 피하려고 몸을 뒤척인다. 맥박이 계속해서 울렸다. 심장 박동이 빨라진 것이리라. 그것도 모자라 해롱해롱 신이 끈질기게 재앙을 내리고 주문은 더욱 높이 읊어진다.

준이치는 모든 걸 잊고 자려 했지만 도무지 잠이 오지 않았다. 과도하게 긴장한 신경이 아무리 미세한 자극에도 비정상적으로 감응한다. 그것을 의식이 마치 제삼자의 입장에서 관찰하듯 '이런 머리로 지금 생각해봤자 소용없어. 어떻게든 자라' 하고 재촉한다. 그런데 이성이 제의하는 바에 따르면, 준이치라는 사람은 이럴 때 해야 할 일을 결정하고 그것을 일단락 지은 다음 억지로라도 마음을 진정시키고 자는 게 제일이다. 그 일은 정교하고 치밀하지 않아도 된다. 굉장히 엉성하고 뇌에 쓸데없는 부담을 주지 않는 일이면 된다. 오히려 엉성하면 엉성할수록 더욱 적당할지도 모른다.

만약 하코네를 떠난다면 어떨까? 그게 낫다. 그러면 단호한 처사이면서도 편안하게 안주하기를 바라는 지금의 뇌를 괴롭히지 않아도 된다. 더구나 온갖 불쾌함을 전달하는 복잡한 전선을 한꺼번에 끊어내는 것이다.

하코네를 떠나는 게 상책이다. 그 방법밖에 없다. 그러면 그 부인에게 여봐란듯이 보여줄 수 있다. 나라고 그렇게 바보 취급만 당하지는 않는다는 걸 보여줄 수 있다. 아니, 아니다. 그런 생각은 하지 않아도 된다. 부인이 어떻게 생각하든 상관없다. 일단 하코네를 떠나자. 그리고 이것을 계기로 네기시와의 인연을 끊어버리자. 전당품 같은 그 라신의 책을 소포로 돌려보내자. 얼른 야나카로 돌아가 우편으로 보내버리고 싶다. 그러면 아주 후련하겠지.

이렇게 생각하니 준이치의 마음은 탁한 물에 명반을 넣은 것처럼 순식간에 맑아졌다. 그 탁함 속에 온갖 잡다함이 뒤섞여 분석하기 힘든 것들을 이것저것 구분하지 않고 한데 합쳐서 침전시켜 버린 것이다. 이것은 밤의 의식이 일시적으로 도달한 안심의 경지이긴 했지만 그 경지가 다행히 꿈의 세계 근처에 도달해 있는 모양인지 해롱해롱 신이 여전히 날뛰고 있음에도 불구하고 준이치는 머리를 이불 속에 파묻고 그만 잠이 들어버렸다.

다음 날 아침 준이치는 일찍 일어날 생각은 아니었지만 새벽에 사람의 말소리가 들려서 잠이 깨 변소에 갔다. 그러자 복도에서 아침 일찍 떠나는 손님들과 마주쳤다. 둘 다 40대쯤 되었고 양복을 입고 있다. 짐을 현관으로 나르는 숙소 남자를 재촉하면서 외투 깃 속으로 잔뜩 목을 움츠린 채 서로 바쁘게 이야기를 주고받고 있다. 아주 진지하고 고지식해 보였다. 어젯밤에는 어째서 그렇게 한심하게 떠들어댔냐고 한 소리 해주고 싶을 정도였다.

변소를 다녀오는 길에 문득 목욕을 할까 싶어 공동 욕탕을 들여다보니 누군가 한 사람이 들어가 있었다. 수증기가 자욱해서 잘 보이지 않았지만 탕 옆에 쪼그려 앉은 모습이 여자 같았다. 그 어렴풋한 형체가 인기척에 놀라 서둘러 일어나려 했다. 준이치는 뭔가 죄를 지은 것 같은 기분이 들어 몰래 그 자리를 빠져나와 자기 방으로 돌아왔다.

방으로 돌아왔지만 아침 일찍 떠나는 손님 말고는 아직 다들 곤히 잠든 시간이라 화로에 불씨도 꺼져 있다. 준이치는 다시 이부자리 속으로 들어가 억지로 잠을 청하려 하지 않고 그냥 누워 있었다.

정신이 말똥말똥해서 더 이상 잠이 올 것 같지 않다. 그리고 어젯밤 이불 속에서 생각한 일들이 줄줄이 마음속에 떠올랐다.

지친 밤에 했던 생각은 다음 날 아침이 되면 별 도움이 되지 않는 경험을 준이치도 지금껏 해 왔지만 어젯밤 내린 결심은 지금 맑은 정신으로 거듭 생각해봐도 여전히 가치가 떨어지지 않았다. 그저 가치가 떨어지지 않은 정도가 아니다. 밝은 눈으로 보면 볼수록 대담하고 용맹한héroïque 면모가 드러난다는 생각조차 들었다. 지금 되돌아보면 어젯밤은 머리가 명료하지 않았기에 좌고우면하지 않고 여러 가지 생각에 구애받지 않고 오히려 빨리 그런 결심에 도달한 게 아닌가 싶다.

준이치는 오늘 반드시 실행해 내리라 다짐했다. 그리고

몸과 마음속에 그것을 방해할 만한 그 어떤 것도 움직이지 않는 걸 보고 마지막 승리를 거머쥔 것 같았다. 하지만 그것은 하나의 감정이 힘차게 약동하면 다른 감정이 잠시 자취를 감추는 것이나 마찬가지였다. 나중에 준이치는 비슷한 유혹을 여러 번 겪고, 비슷한 분투를 거듭하면서 마치 밀물과 썰물처럼 생물학적인 사건이 오가기 마련임을 차츰 절실히 깨달으면서 오타 긴조라는 한학자가 '하늘의 비바람과 같이'라는 원시적인 비유를 한 것이 재미있게 느껴졌다.

이렇게 오늘 실행한다고 결심하고 나니 마음이 편안해지고 덮고 있는 온천 여관 이불 속으로 추억과 감상, 희망처럼 과거, 현재, 미래 세계에서 여러 손님이 찾아온다. 고향을 떠나 도쿄에 온 지 겨우 2개월 남짓 지났을 뿐이다. 하지만 고향에서 상경하면 하고자 계획했던 것들이 모두 물거품처럼 사라지고 적극적으로는 아무것도 한 일이 없다. 오직 나만의 힘으로 이루지 못할 일을 남에게 기대어 이루려 한다는 건 쓸데없는 기대일 뿐이다. 그와 반대로 우연히 만난 사람에게 여러 자극을 받고 꿀벌이 어떤 꽃에서든 저마다 다른 이슬을 빨아들이듯 내면에 무언가를 비축했다. 그렇게 이 꽃 저 꽃 날아다니는 동안 고향에 있을 때와는 달리 나는 어설픈 창작의 시도를 하지 않고 있었다. 이것이 오히려 나에겐 약이 된 게 아닐까. 지금 무언가를 써본다면 쓸 수 있을지도 모른다. 고향에 있을 때 바둑을 두는 친구가 있었다. 어느 모임 자리에서 그가 바둑을 두지 않는 동안에 실력이 늘었다는 경험담을 말하자 야마무라 선생님이 그것은 의식의 문턱 밑에서 바둑 연습을 하고 있었기 때문이라고 말해준 적이 있다. 지금 쓴다면 쓸 수 있을지도 모른다. 그렇게 생각하니 이 집에서 조용한 방을 빌려 오래간만에 글을 쓰고픈 생각이 든다. 아차, 아니지. 그러면 모처럼 내린 그 실행을 할 수 없다. 에잇, 젠장. 사카이 부인이니, 오카무라니 정말 귀찮네. 오무라가 한 말은 아니지만, 악마여 그녀를 데리고 가라Der Teufel hole sie! 그래, 어서 도쿄에 돌아가서 쓰자.

준이치는 이불을 박차고 일어나 요 위에 책상다리를 하고 앉아 화로에 불이 없다는 사실도 잊은 채 생각에 잠겼다. 마침내 쓰려는 의욕이 생기니 현재 자신의 주위도 과거 자신이 지내온 시간도 모두 가치를 잃어버리고 지척에 있는 후쿠즈미의 별채에 아름다운 살덩어리가 가로누워 있는 게 뭐 어쨌다는 거냐 하는 생각이 들었다. 양쪽 뺨이 빨갛게 물들고 커다란 눈이 빛난다. 준이치는 지금까지 글을 쓸 때 흥분을 느낀 적이 종종 있지만, 지금처럼 소나기가 내리기 직전의 구름이 수증기로 충만한 듯한 감정을 느낀 적은 없었다.

준이치가 쓰려는 글은 작금의 유행과는 조금 방향이 다르다. 왜냐하면 그 주제sujet는 고향의 돌아가신 할머니가 들려주신 전설이기 때문이다. 그 전설을 쓰는 건 지금까지 몇 번 시도해 보았다. 형식도 여러 가지로 궁리해서 운문이나 산문, 또는 서사적으로 플로베르의 『세 가지 이야기Trois Contes』 속의 체제를 배우려고 생각한 적도 있고 마테를링크의 짧은 각본을 바탕으로 써 보려고 한 적도 있다. 도쿄로 상경하기 직전에 썼던 마지막 글은 이삼십 장을 쓰다 만 채로 야나카에 두고 온 가방 안에 처박혀 있다. 그것은 그무렵 무의식적으로 이른바 자연주의 소설의 영향을 한창 받던 와중에 쓴 글이라 처음에 목표로 해서 쓴 의고주의 Archaïsme가 의미적, 언어적으로 도중에 방해가 되었기 때문이다. 이번에는 현대어로 현대인의 미세한 관찰을 쓰자. 더불어 오랜 전설이 주는 멋을 해치지 않고 보여주자고 준이치는 생각했다.

이런 생각을 하느라 아까부터 부엌 쪽에서 달칵달칵 소리가 나는 것도 모르고 있었다. 천장 한가운데에 길게 매달려 있는 전등이 갑자기 꺼졌다. 어느새 날이 환히 밝아 고창을 통해 파리하고 가느다란 아침 햇살이 스며든다.

여종업원이 부삽을 들고 들어와 "어머" 하고 놀랐다. 어쩐 일로 예쁜 여종업원이 왔다. "불이 꺼져 있었네요"라고 말하며 화로에 불씨를 일으켰다.

제대로 잠도 못 잤을 텐데 여자는 곱게 머리를 매만지고 화장을 하고 있었다. 불씨를 살리는 게 퍽 시간이 걸렸다. 게다가 말수가 적은 성격인지 입을 다물고 있다.

준이치는 뭔가 말을 해야 할 것 같은 의무감을 느꼈다.

"안 졸려요?"

"네." 여자가 답하는 순간 준이치는 괜히 감상적인sentimental 말을 했나 싶어 후회했다. "시끄러우셨죠?" 여자가 되물었다.

"아니요, 잘 잤어요." 준이치는 애써 아무렇지 않게 대답했다.

장지문 밖에서 덜컥덜컥 덧문을 열어젖히는 소리가 들렸다. 여자는 불씨를 살려내고는 화로 가장자리를 닦다가 손을 멈추고 물었다.

"저기, 떡국 드릴까요?"

"아, 오늘이 설날이었군요. 그럼, 세수라도 하고 와야겠네요."

준이치는 세수를 하는 동안 어여쁜 여종업원을 생각했다. 그 여자는 어딘지 부드러워 뵈는 마음에 드는 여자다. 떠날 때 특별히 팁이라도 줄까. 아니다, 관두자. 그러면 뭔가 특별한 의미가 있는 것 같아 이상하다. 그런 생각을 하고 있었다.

방에 돌아올 때 입구에서 만난 이는 평범한 여자였다. 이불을 정리해 준 것이리라. 떡국 시중도 평범한 여종업원이 했다. 그 여종업원에게 9시 8분 급행을 타러 고우즈에 간다고 전하며 정산을 부탁하자 화들짝 놀라며 말했다. "어머, 그러면 휴양도 안 되고 아무것도 안 될 텐데요."

"그래도 나보다 일찍 떠난 사람들도 있잖아요?"

"그건 다르죠."

"뭐가 달라요?"

"그분들은 놀러 오신 분들인걸요."

"그렇군요. 나는 놀지 못하는 성격이라."

떡국 한 그릇을 더 가져오려고 일어서며 여종업원은 정말로 떠날 생각이냐고 물었다. 준이치가 고개를 끄덕이는 걸 보더니 혼잣말처럼 중얼거렸다.

"오키누가 깜짝 놀라겠네요."

"이봐요." 준이치는 불러 세웠다. "오키누가 누구죠?"

"왜 오늘 아침에 여기에 불씨를 넣으러 왔잖아요? 어제 손님께서 오셨을 때 오키누가 말했어요. 저분은 책을 많이 가지고 오셨으니 분명 쉬면서 공부하러 오신 거라고."

이렇게 말하더니 여종업원은 쟁반을 들고 복도로 나갔다.

준이치는 오키누라는 이름이 자기가 상상했던 그 여자의 느낌과 잘 어울리는 것 같아 흡족했다. 그리고 그 오키누가 바쁜 와중에도 자신을 관찰해 준 게 고마우면서 자신이 그 여자의 생활을 너무 천박하게 생각한 것을 후회했다.

떡국이 또 한 그릇 왔다. 음식 시중을 드는 여종업원에게 오키누에 대해 조금 더 자세히 물어보는 건 어렵지 않았지만 준이치는 그냥 묻지 않았다. 특별한 의미가 있어서 묻는 것처럼 여기는 게 싫었다.

준이치는 어지럽힌 물건들을 가방 안에 쑤셔넣으며 어젯

밤과 오늘 아침 일어났을 때보다 더 냉정해진 마음으로 자신을 반성해 보았다. 도쿄에 돌아가자는 결심을 번복할 생각은 없다. 또 그것을 번복할 필요도 찾을 수 없다. 돌아가 글을 써 보겠다는 의지도 시들지 않았다. 하지만 그 순수한 의지 속에 아주 가벼운 의혹이 스멀스멀 올라왔다. 그것은 지금까지 여러 번 일시적인 충동이 일어나 써 보고는 좌절하지 않았나 하는 속삭임이었다. 다행히도 그 속삭임은 의지를 마비시킬 만큼의 힘을 갖지 않았다. 오히려 창작의 욕망을 자극하고 저항감을 키우는 게 아닌가 하는 생각이 들 정도였다.

반면 잠깐 사이에 몹시 바뀐 것은 사카이 부인에 대한 감정이다. 앙갚음을 해주자, 뼈저리게 느끼게 해주자는 마음이 어젯밤부터 줄곧 이 감정에 어느 정도 섞여 있었지만 지금 밝은 햇살 아래 생각해보니 그것은 분명 잘못된 생각이다. 스스로 생각해도 얼마나 옹졸한 생각인가. 마치 노예 같은 생각이다. 이런 모습이라면 나는 아직 성격적으로 많이 수양해야 한다. 게다가 그 사카이 부인이 어째서 내가 떠난다고 해서 한탄하고 고통을 느끼겠는가. 8년 전에 죽은 시인 알베르 사맹Albert Samain*은 크산티스라는 여자 인형의 사랑을 글로 썼다. 연인들 중에는 플라토닉한 공작도 있다. 예술가 스타일의 열정적인 청년 음악가도 있다. 그래

* 프랑스의 시인. 평생 병약했고 우울하고 섬세한 시를 많이 남겼다.

도 그 여자 인형을 만족시키려면 장사 같은 청동 인형이 있어야만 했다. 필시 오카무라는 사카이 부인의 청동 인형일 것이다. 나는 뭘까? 청년 음악가 정도의 열정도 그 부인에게 바치지 않았다. 무슨 매력이 있단 말인가. 내가 하코네를 떠났다고 해도 그 부인은 푼돈을 넣은 지갑을 떨어뜨린 정도로도 생각지 않을 것이다. 그러니 그 부인에게 내가 불평할 권리가 있을 것 같지 않다. 대체 나는 왜 불평인가. 그 부인을 잃은 슬픔에서 나온 불평이 아니다. 자기를 사랑하는 마음이 상처를 입은 불평에 지나지 않는다. 오무라가 아무런 은혜도 원망도 없이 헤어진 여자 이야기를 한 적이 있다. 경우는 다르지만 나도 지금 아무런 은혜도 원망도 없이 헤어지면 그만이다. 아아, 그래도 쓸쓸한 건 쓸쓸한 거다. 정말이지 내 몸 주위에 공허함이 밀려오는 듯해 견딜 수가 없다. 됐어. 이 쓸쓸함 속에서 작품이 탄생하지 말란 법도 없지.

접수대의 남자가 계산서를 들고 왔다. 세토의 말로는 온천장 같은 데서는 학생이라고 하면 손님 대접을 제대로 안 해준다고 했지만 이 남자는 특별히 무례하지 않았다. 준이치는 학생사회의 명예를 중히 여겨 돈을 더 얹어 주었다. 그러고 나서 오키누를 더 챙겨주려는 마음에 다른 여종업원에게도 더 많은 팁을 주었다.

숙박비, 수고비, 팁 각각의 영수증을 들고 온 여종업원이 인력거가 와 있다고 전한다. 준이치는 가방을 잠그고 자리에서 일어났다. 그때 여주인이 인사를 하러 나왔다. 문턱 밖에서 손을 모으고 인사하는 태도가 아주 깍듯했다.

준이치가 나오자 여종업원이 가방을 들고 뒤따라왔다. 넓은 복도 한자리에 여종업원들이 모여 뭐라 소곤거리다가 모두들 준이치에게 인사를 건넸다. 오키누는 뒤쪽에 우두커니 서서 혼자서 뒤늦게 인사했다.

인력거를 타고 밖으로 나오니 설날 하늘은 화창했고 유사카 산에는 안개가 껴 있다. 오늘도 별로 춥지 않다.

아사히 다리로 접어들 무렵 사카이 부인이 머물고 있는 후쿠즈미의 별채를 뒤돌아보니 장지문이 모두 꼭 닫혀 있고 안은 고요했다.

모리 오가이 왈. 소설 『청년』은 일단 이것으로 막을 내린다. 아직 쓰려던 이야기의 아주 작은 부분밖에 쓰지 못해서 이야기상으로 날짜가 60-70일밖에 되지 않았다. 서리가 내릴 무렵 이야기가 시작되어 눈도 제대로 내리지 않은 겨울 무렵까지 이제야 도달한 것이다. 이 정도를 쓰는 데만도 어느덧 2년이라는 세월이 흘렀다. 어쨌든 일단 이것으로 끝을 맺는다.

옮긴이의 말

『청년青年』은 지방에서 갓 상경한 작가 지망생 고이즈미 준이치가 당대 작가인 오이시 로카를 찾아가는 장면으로 시작된다. 넓은 세상에 나가면 자기만의 글을 쓸 수 있을 거라는 막연한 기대를 품고 상경한 청년 고이즈미의 예상은 보기 좋게 빗나간다. 외모, 교양, 재력, 성품 어느 하나 빠지지 않는 완벽한 그였지만 세상의 모든 청년이 그러하듯 그 또한 방황의 시기를 거치게 된다. 해박한 지식은 갖췄지만 막상 세상에 나가 본인만의 확고한 가치관을 갖기가 결코 녹록지 않음을 깨닫는 고이즈미. 심지어 그는 연극 공연을 보러 갔다가 우연히 만난 매혹적인 과부(본문에서는 대체할 만한 단어의 부재와 당시 시대상을 고려한 번역어 선택으로, 지양해야 할 '미망인'이라는 표기가 불가피했다)에게 속절없이 흔들린다. 『청년』은 진지한 청년 고이즈미의 정신적, 육체적 방황과 성장 과정을 담았다.

『청년』은 1910년 3월부터 이듬해 8월까지 문예지 『스바루スバル』에 연재된 모리 오가이의 첫 장편 현대소설이며 나쓰메 소세키의 『산시로』와 함께 일본의 대표적인 성장소설로 꼽힌다. 『산시로』가 발표된 지 약 2년 후에 『청년』이 연

재되었기 때문에 『청년』은 『산시로』에 영향을 받아 쓴 작품으로 자주 비교되곤 한다. 단순히 시기적인 순서 때문에 그렇기도 하지만 전체적인 내용 면에서도 두 작품은 꽤 닮았다. 두 작품 모두 시골 출신 엘리트 청년이 상경한 후 지식인과 교류하고 이성적으로 끌리는 여성을 만나면서 혼란과 실연을 겪고 내면적으로 성숙해가는 과정을 그렸다는 큰 줄거리는 비슷하다. 하지만 차이점도 있다. 『산시로』에 등장하는 여성들이 신세대 여성이긴 해도 대체로 기존의 사회적 관습에 순응하는 모습이라면, 『청년』에서는 여성들 모두가 고이즈미를 당황스럽게 할 만큼 적극적이다. 또 『산시로』의 주인공 산시로가 남녀 간의 연애 감정이나 세상살이에 서툴고, 상식적인 여성에게 호감을 갖는 풋풋한 청년이라면 고이즈미는 냉철하고 빈틈없는 청년이지만 좋은 집안에서 곱게 자란 아가씨보다는 스스럼없이 남성에게 추파를 보내는 과부에게 강렬하게 이끌린다.

또 한 가지 흥미로운 점은 『청년』의 원래 제목이 '오노준이치'였다는 사실이다. 『스바루』에 첫 연재를 알리는 광고가 실렸을 때 『산시로』처럼 주인공의 이름으로 제목이 소개되었다가 막상 연재가 시작되자 일반 명사인 '청년'으로 바뀌었다고 한다. 어쩌면 모리 오가이는 서양 문화가 급속도로 유입되던 당시에 새로운 유행을 맹종하며 정신적인 허무감에 빠진 '청춘'들에게 새로운 방향성을 제시하고 싶었던 게 아닐까. 작가 자신을 빗댄 인물인 '모리 오손'

을 등장시켜 '막대와 줄자를 들고 측량사가 땅을 재듯 소설과 각본을 쓰는 사람', '시시한 번역서만 내놓는' 인물이라며 스스로를 희화하는가 하면 젊은이들의 추앙을 받는 대세 작가 오이시 로카에게서 회의감을 느끼는 고이즈미의 모습에서 작가 모리 오가이의 메시지가 더욱 뚜렷하게 읽힌다. 젊은이들이여, 기존의 권위와 유행을 맹목적으로 추종하지 말고 틀을 깨부수고 나오길.

『청년』에는 인명, 지명, 작품명, 일상적인 표현에 이르기까지 수많은 외국어, 특히 프랑스어가 등장한다. 작품 안에서 설명을 첨언한 경우도 있지만, 주석 없이는 해석할 수 없는 외국어가 불쑥불쑥 등장할 때마다 당혹감을 느꼈다. 이는 어릴 때부터 한문은 물론 여러 외국어를 모국어처럼 익혀온 오가이만의 독특한 언어습관 때문일 수도 있고, 서양 문물이나 사상은 서양의 언어로 전달하겠다는 작가의 철저한 언어관과 자부심에서 비롯된 것일지도 모른다. 번역문에 그 모든 외국어를 그대로 남겨두어야 할지 고심할 수밖에 없었다. 결국 오가이가 전달하고자 하는 바는 방황을 통해 성장하는 청년의 모습이지 외국어 그 자체는 아닐 것이라고 감히 판단했다. 그래서 원작에서 사용한 외국어에 특별히 구애받지 않고 때론 번역어로, 때론 원문 병기로, 때론 그대로 발음해주는 것으로 외국어의 허들을 자유롭게 넘었다. 덕분에 난해함은 덜었지만 원문의 독특한 문체와 분위기를 온전히 살리지 못한 것 같아 못내 아쉽다.

필자는 올해 초에 모리 오가이 탄생 150주년을 기념하여 생전에 그가 살았던 집터에 지었다는 모리 오가이 기념관을 다녀왔다. 평생을 엘리트 군의관으로 살았던 고루한 작가라는 오해도 받지만, 그의 어린 시절부터 노년의 모습을 훑어보니 대문호가 아닌 평범한 한 인간의 일대기를 조망한 느낌이었다. 그는 "나는 이와미의 모리 린타로로 죽기를 바란다"라는 유언을 남겼다. 이와미는 지금의 시마네현인 작가의 고향이며 모리 린타로는 작가의 본명이다. 화려한 관직, 작가라는 세속적인 수식어를 없애고 그저 시골 출신의 평범한 자연인으로서 죽기를 바란 모리 오가이. 똑똑하고 잘생긴 부잣집 청년 고이즈미가 과부에게 대차게 희롱당한 후 이성과 감정의 빗장을 내려놓고 툭 내뱉은 진심이 작가의 소박한 마지막 유언과 닮아 보였다.

"나도 지금 아무런 은혜도 원망도 없이 헤어지면 그만이다. 아아, 그래도 쓸쓸한 건 쓸쓸한 거다."

이지적인 문장에 허를 찌르는 인간미로 깊은 울림을 주는 모리 오가이만의 '청년'의 모습을 독자 여러분도 만나 볼 수 있기를 바란다.

2024년 5월
전양주

미행 편집자들이 가장 많이 하는 일은 교정을 보는 것도, 책을 기획하는 것도 아니다. 그건 바로 메일 쓰기다. 어떨 땐 원고의 문장 한 줄 읽지 못한 날에도 메일을 몇 통씩 쓰기도 한다. 우리와 가장 많은 연락을 나누는 사람들은 대체로 번역가들인데, 번역가에게 번역을 의뢰할 때에는 기분 좋게 안부 인사도 나누고 출간까지 열심히 해보자는 파이팅 넘치는 메일이라면, 교정을 마치고 질문지와 함께 교정지를 스캔해서 보낼 때에는 논의해야 할 것들을 정리하느라 한 호흡으로 읽기 어려울 만큼 긴 메일이 되곤 한다.

담당 디자이너에게 보내는 메일도 이에 뒤지지 않는다. 표지만 해도 그렇다. 표지에 들어갈 텍스트를 디자이너에게 전달하는 메일이 시작이다. 표지 시안이 들어오면 그에 대한 의견을 정리해서 메일을 쓰고, 얼마 뒤 수정된 표지 시안이 들어오고, 다시 메일을 쓰고, 또 쓴다. 표지 시안을 보고 단번에 오케이가 떨어지는 일은 거의 없다. 신속한 표지 확정이야말로 편집자가 정말 바라는 일이다. 의견 교환은 출간 직전까지 이어지고 메일 쓰기도 계속된다.

그들과 주고받은 메일에 기쁘고 즐거운 일만 가득하지

않으리라는 걸 우리 모두는 알고 있다. 악역을 자처한 편집자는 매일매일 찾아가 번역가와 디자이너를 못살게 구는 사채꾼이 된다. 이 일에는 근성과 집요함이 필요하다. 그러다 욕을 먹는 건 편집자의 숙명이다. 욕을 먹어도 어쩌겠나. 그래도 해야 할 일이다.

책 만들기는 각자 맡은 일만 잘하면 되는 일처럼 보이지만 결국은 함께하는 일이다. 타인과 함께하는 건 항상 힘들고 갈등을 유발한다. 그렇다고 각자 맡은 일만 하다 보면 어딘가 삐꺽거리게 되고, 책이 되기도 전에 원고는 산으로 간다. 그런 책들에서 배울 건 없다. 반대로 책의 이모저모에서 각자의 역할을 잘 해내고 있는 경우에 선장이자 지휘자인 편집자는 잘 보이지 않는데, 이때의 편집자는 분명 존재하지만 그 모습을 쉽게 드러내지 않는다. 왼손은 거들 뿐이니까. 나도 책상에 앉아 우아하게 교정지를 넘기며 밋밋한 문장을 무사처럼 펜 몇 번 휘갈겨 굉장한 문장으로 탄생시키는 전설의 편집자를 믿고 싶다!

이렇게 적고 보니 편집자란 참 별로인 직업 같다. 괜찮은 건 없나? 모리 오가이 책을 내고 싶어졌다. 어떤 작품이 좋을지 고민하고, 결정한다. 반년 후. 번역가에게서 번역 원고가 도착했다는 메일 알림이 뜬다. 드디어 고이즈미 준이치와의 첫 만남이다. 시대상이 진한 작품인 터라 맞춤법, 외래어 표기가 맞게 되었는지 살짝 신경이 쓰이지만 읽는 건 즐겁다. 이때만큼은 나 홀로 온전히 즐길 수 있는 일이 된다. 이 또한 편집자의 일이다.

미행에서 만든 책들

1	소설	마르셀 프루스트	최미경	쾌락과 나날
2	시	조르주 바타유	권지현	아르캉젤리크
3	소설	유리 올레샤	김성일	리옴빠
4	시	월리스 스티븐스	정하연	하모니엄
5	소설	나카지마 아쓰시	박은정	빛과 바람과 꿈
6	시	요제프 어틸러	진경애	너무 아프다
7	시	플로르벨라 이스팡카	김지은	누구의 것도 아닌 나
8	소설	카트린 퀴세	권지현	데이비드 호크니의 인생
9	르포	스티그 다게르만	이유진	독일의 가을
10	동화	거트루드 스타인	신혜빈	세상은 둥글다
11	산문	미시마 유키오	강방화·손정임	문장독본
12	소설	마르셀 프루스트	최미경	익명의 발신인
13	시	E. E. 커밍스	송혜리	내 심장이 항상 열려 있기를
14	시	E. E. 커밍스	송혜리	세상이 더 푸르러진다면
15	산문	데라야마 슈지	손정임	가출 예찬
16	칼럼	에릭 사티	박윤신	사티 에릭 사티
17	산문	뤽 다르덴	조은미	인간의 일에 대하여
18	르포	존 스타인벡·로버트 카파	허승철	러시아 저널
19	소설	윌리엄 포크너	신혜빈	나이츠 갬빗
20	산문	미시마 유키오	손정임·강방화	소설독본
21	소설	조르주 로덴바흐	임민지	죽음의 도시 브뤼주
22	시	프랭크 오하라	송혜리	점심 시집
23	산문	브론테 자매	김자영·이수진	벨기에 에세이
24	소설	뱅자맹 콩스탕	이수진	아돌프 / 세실
25	산문	안드레이 플라토노프	윤영순	전쟁 산문
26	소설	안토니 포고렐스키 외	김경준	난 지금 잠에서 깼다
27	소설	모리 오가이	전양주	청년

한국 문학

1	시	김성호	로로
2	시	유기환	당신이 꽃 옆에 서기 전에는

모리 오가이(森鷗外, 1862-1922)는 시마네현 쓰와노초에서 대대로 영주의 질병을 전담해온 의사 집안의 장남으로 태어나 열 살 때 아버지와 함께 도쿄로 상경했다. 도쿄대학 의학부를 졸업한 후 군의관으로 육군에 입대했으며 스물두 살에 위생학과 위생제도 조사 및 연구를 목적으로 독일에 국비유학을 떠나 4년간 유학 생활을 했다. 귀국 후에는 유학 중에 사귄 독일 여성과의 슬픈 사랑을 소재로 쓴 첫 소설 『무희』를 발표했고, 이후 군의관으로 근무하면서도 소설, 희곡, 시를 창작하거나 번역과 평론을 발표하는 등 당대의 대표적인 지식인으로 활약했다.
1907년에는 육군 군의총감 및 육군성 의무국장에 취임하며 출셋길을 달리지만 내면적으로는 보수적인 관료와 사상적으로 자유로워야 할 작가라는 모순된 자아 사이에서 줄곧 갈등하며 작품 활동을 이어간다. 육군을 퇴직한 이듬해에 황실박물관 총장 겸 도서관장에 임명되어 사망할 때까지 줄곧 일했다. 대표작으로는 『청년』, 『기러기』, 『아베일족』, 『산쇼다유』, 『다카세부네』 등이 있다.

옮긴이 전양주는 이화여자대학교 통역번역대학원에서 석사 학위를 받고, 동 대학원 박사 과정을 수료한 후 동 대학원에서 문학번역 및 한국어 수업을 하고 있다. 옮긴 책으로 『NIPPON 코퍼레이션』(공역), 『거래의 신 혼마 무네히사 평전』, 『스트리트파이터×철권 아트웍스』 등이 있고, 한국문학번역원의 「한국문학번역원 번역아카데미 한국문학 및 한국어콘텐츠 번역교육과정 구축 연구」(2022)에 공동 연구원으로 참여했다.

청년 青年

모리 오가이
전양주 옮김

초판 1쇄 발행 2024년 7월 5일

펴낸곳 미행
출판등록 제2020-000047호
전화 070-4045-7249
메일 mihaenghouse@gmail.com
인쇄 제책 영신사

ISBN 979-11-92004-22-8 03830